Ca

Argraffiad cyntaf: 1990
Chwechyd argraffiad: 2004

Llun y clawr: Gwyn Martin
Cynllun: Robat Gruffudd

Rhif Llyfr Rhyngwladol: 0 86243 217 0

Cyhoeddwyd ac argraffwyd yng Nghymru
gan Y Lolfa Cyf., Talybont, Ceredigion SY24 5AP
e-bost ylolfa@ylolfa.com
gwefan www.ylolfa.com
ffôn 01970 832 304
ffacs 832 782

1 ANTHEM GENEDLAETHOL UNDEB CENEDLAETHOL TANCWYR CYMRU

1 O mae pethau gwych mewn stôr
I yfwrs trwm y Bôr
Pan ddaw Walter Pantybarlat ar y sbri:
Y'ch chi'n barod Mrs Morgan—
Ma'r Sais yn chwythu'r organ,
Wel nawr 'te gyda'n gilydd, un, dau, tri:

Cytgan:
Hei Leiff yw y gân
Pan ddaw Dennis a Pontshân;
Cwrw Cymru ydy'r cwrw gore sy',
Daw y Ficer o Benstwffwl
I dalu am y cwbwl:
Undeb y Tancwyr ydym ni.

2 Os yw Mari'n cadw'r jam
Dan y babi yn y pram,
Os yw Ned a Madam Patti yn y Ne',
Fe ddaw eto haul ar fryn,
Os na ddaw hade fe ddaw chwyn—
Awn yn ôl i'r botel jin tan amser tê.

3 Os bydd neb yn cyfri'r gost
Nac yn achwyn bola tost
Pan ddaw stiwdent Pantycelyn yn ei ôl;
Os yw'r beinder dan y baw
Fe ddaw'r Inspector maes o law
Gyda Brenin Mawr y Buarth yn ei gôl.

*Hawlfraint Pontshân, Llywydd Anrhydeddus Undeb Cenedlaethol Tancwyr Cymru; arwyddair, "Hei leiff, fi a Walter Pantybarlat yn y Bliw Bôr; Hyfwch lawr Bois, beth yw cost lle mae cariad?"

2 EMYN I'R CWRW

Tôn: Defaid William Morgan;
i'w ganu'n ddefosiynol—fel y gweddai.

1 Dewch, bererinion, oll yn awr,
Gadawn y byd a'i dwrw,
Awn at yr hen gynefin far
I yfed peint o gwrw.

Cytgan:
Yfed peint o gwrw,
Yfed peint o gwrw,
Awn at yr hen gynefin far
I yfed peint o gwrw.

2 O'r dwyrain a'r gorllewin, dowch,
O'r north a gwlad yr hwntw,
Cawn gyd-gyfarfod wrth y bwrdd
I yfed peint o gwrw.

3 Doed yma bawb sy'n llesg ei fron
A phawb sy'n sych ei wddw',
Y sych a'r llesg sy'n bywiocäu
Wrth yfed peint o gwrw.

4 Blinderau'r dyrys daith fan hyn
Yn fuan cânt eu bwrw,
Yng nghwmni llon y brodyr hoff
Sy'n yfed peintiau cwrw.

5 A choded bawb ei wydryn fry,
(A'r hylif sydd yn hwnnw),
A rhodder iddo'r clod a'r mawl—
Yr hyfryd beint o gwrw.

A-men.

3 BING BONG BE

Hen benillion yw'r geiriau fel arfer;
pob un i ganu pennill yn ei dro, a phawb i ymuno yn y cytgan.

1 Maen nhw'n dwedyd ac yn sôn
Mod i'n caru yn Sir Fôn;
Minnau sydd yn caru'n ffyddlon
Dros y dŵr yn Sir Gaernarfon.

Cytgan:
Bing, bong, bing bong be;
Bing, bong, bing bong be;
Bing, bong, bing bong be;
Bing, bong, bing bong be.

2 Twll dy dîn di'r milgi main,
Ti a'th siort sy'n magu chwain;
Minnau sydd yn hogyn lysti
Yn cicio chwain i draed y gwely.

3 Bûm yn caru ryw nos Wener
Dan y faril yn y seler,
Ac yn wir mi garwn eto
Gyfeillachu peth â honno.

4 Rwyf yn ofer, rwyf yn yfed,
Rwyf yn gwilydd gwlad i'm gweled,
Rwyf yn gwario fel dyn gwirion:
Ffei o feddwi—ffiaidd foddion!

5 Dafydd Dafis Ffos y Ffîn
Gollodd allwedd twll 'i dîn:
Ffaelodd 'gâl e'n ddigon cloi—
Holltodd twll 'i dîn yn ddou.

6 Union natur fy mun odiaeth
Yw nacau ymroi ar unwaith:
Gweiddi "Heddwch", goddef teimlo,
Dwedyd "Paid!"—a gadael iddo.

7 Bachgen wyf o bridd a lludw,
Yfodd lawer iawn o gwrw;
Rhyfedd yw wrth yfed llawer
Nad aeth y pridd a'r cwrw'n forter.

8 Mae Ffair y Borth yn nesu,
Caf deisen wedi ei chrasu,
A chwrw poeth o flaen y tân
A geneth lân i'w charu.

9 Bûm yn claddu hen gydymaith
A gododd yn fy mhen i ganwaith;
Ac rwy'n amau, er ei briddo,
Y cyfyd yn fy mhen i eto.

10 Y mae'r taerwr wedi marw,
Cyfaill annwyl oedd i'r cwrw;
Er mwyn cysur, paid â'i ddeffro—
Neu fe fydd yn yfed eto.

11 Llawer gwaith y bûm yn meddwl
Mynd i'r dafarn, gwario'r cwbwl,
Dyfod adre'n feddw, feddw,
Curo'r wraig yn arw, arw.

ac ati nes bod pob un wedi canu. . .

4 AR LAN Y MÔR

1 Ar lan y môr mae rhosys cochion;
Ar lan y môr mae lilis gwynion;
Ar lan y môr mae 'nghariad inne,
Yn cysgu'r nos a chodi'r bore.

2 Ar lan y môr mae cerrig gleision;
Ar lan y môr mae blodau'r meibion;
Ar lan y môr mae pob rhinwedde;
Ar lan y môr mae 'nghariad inne.

3 Mor hardd yw'r haul yn codi'r bore;
Mor hardd yw'r enfys aml ei lliwie
Mor hardd yw natur ym Mehefin,
Ond harddach fyth yw wyneb Elin.

5 CÂN SOBRI

1 Dydd Llun, dydd Mawrth, dydd Mercher
Y bûm i'n gwario f'amser;
Wyddwn i ddim fy mod i ar fai,
Wyddwn i ddim fy mod i ar fai
Nes daeth dydd Iau, dydd Gwener.

2 Nos Sadwrn yr eis adre
Rôl gwario 'mhres bob dime,
A dyna'r croeso a ges i gan Siân,
A dyna'r croeso ges i gan Siân—
Yr efail dân a'r stolie.

3 Wrth weld 'r effeithiau'n dilyn
O achos 'mod i'n feddwyn.
Mi benderfynais fore Llun,
Mi benderfynais fore Llun
Nad yfwn i'r un diferyn.

4 Dechreuais weithio 'ngore
Yn ddiwyd hwyr a bore,
A dyna wnes oedd cadw fy mhres,
A dyna wnes oedd cadw fy mhres
I dalu rhes o filie.

5 Nos Lun, nos Fawrth, nos Fercher
Caf groeso gwell o'r hanner,
Ac nid yw'r croeso ddim yn llai,
Ac nid yw'r croeso ddim yn llai
Pan ddêl nos Iau, nos Wener.

6 Nos Sadwrn byth er hynny
Rwyf gartre gyda'm teulu,
Ac ar y Sul yng nghwrdd y Saint,
Ac ar y Sul yng nghwrdd y Saint,
Bydd Siân a minnau'n moli.

Bob Tai'r Felin

6 YR ENETH GADD EI GWRTHOD

1 Ar lan rhen afon Ddyfrdwy ddofn
Eisteddai glân forwynig,
Gan ddistaw sisial wrthi'i hun,
Gadawyd fi yn unig;
Heb gâr na chyfaill o fewn y byd
Na chartref chwaith fynd iddo,
Drws tŷ fy nhad sydd wedi'i gloi,
Rwy'n wrthodedig heno.

2 Mae byw gwaradwydd ar fy ôl
Yn nodi fy ngwendidau,
A llanw 'mywyd wedi ei droi
A'i gladdu dan y tonnau;
Ar allor chwant aberthwyd fi,
Do! collais fy morwyndod,
A dyna'r achos pam yr wyf
Fi heno wedi 'ngwrthod.

3 Ti frithyll bach sy'n chwarae'n llon
Yn nyfroedd glân yr afon,
Mae gennyt ti gyfeilllion fyrdd
A noddfa rhag gelynion;
Cei fyw a marw dan y dŵr
Heb undyn dy adnabod,
O! na chawn innau fel tydi
Gael marw ac yna darfod.

4 Ond hedeg mae fy meddwl prudd
  I fyd sydd eto i ddyfod,
A chofia dithau, fradwr tost,
  Rhaid iti fy nghyfarfod;
Ond meddwl am dy enw di
  A byw sydd i mi'n ormod,
O! afon ddofn, derbynia fi,
  Caf wely ar dy waelod.

5 A bore trannoeth cafwyd hi
  Yn nyfroedd oer yr afon,
A darn o bapur yn ei llaw
  Ac arno'r ymadroddion—
"Gwnewch i mi fedd mewn unig fan,
  Na chodwch faen na chofnod,
I nodi'r fan lle gorwedd llwch
  Yr eneth gadd ei gwrthod."

7 TWLL TÎN POB SAIS, IECHYD DA

(Tôn: Draw, Draw yn China)

1 Draw dros y moroedd mae llawer gwlad rydd
  Gynt a fu'n eiddo i'r Sais,
Lle mae brodorion yn canu yn llon
  Geiriau fel hyn ag un llais—

Cytgan:
Twll tîn pob Sais, iechyd da,
Twll tîn pob Sais, iechyd da;
Codwn ein gwydrau ac yfwn i hyn,
Twll tîn pob Sais, iechyd da.

2 Distaw fu Cymru ac ufudd iawn gynt,
Gwlad o daeogion bach mud;
Pobol Caerfyrddin ar hyn roddodd stop,
Dyma eu neges i'r byd—

3 Saesneg sy'n bwysig, oedd pregeth y Sais,
Am y Gymraeg na foed sôn;
Cododd gwroniaid Cymdeithas yr Iaith,
Meddent yn dyner eu tôn—

4 I dre Caernarfon mewn costiwm bach neis
Charlie o Windsor a ddaeth
Ninnau y Cymry a aethom i'r fan
A'r un oedd ein cân, dyna'r ffaith:

5 Cyn hir cawn Senedd, ac yna rhaid cael
Agoriad swyddogol rhyw ddydd;
Daw'n prifweinidog yn llon at y meic,
Byrdwn ei araith a fydd—

8 YR ASYN A FU FARW

1 Yr asyn a fu farw
Wrth gario glo i Fflint
Fe 'nillodd mewn saith mlynedd
Dros bedwar ugain punt.
Tan ganu, di-wec, ffal-di-ral-di-ral-di-ro,
Tan ganu, di-wec, ffal-di-ral-di-ral-di-ro,
Yr asyn a fu farw
Wrth gario glo i Fflint.

2 A Jac y Foty Dirion
A aeth i gladdu'r mul,
Fe fwriodd arno gerrig
A thipyn bach o bridd.
Tan ganu...

3 A Joni aeth i weddi,
A honno'n weddi dlawd,
A'i ddagrau oedd yn powlio
Wrth gladdu mul ei frawd.
Tan ganu...

4 A Joni aeth i fyny—
I fyny rhyw lôn gul,
Gan daeru nerth ei enau
Na chladdai byth mo'r mul.
Tan ganu...

5 Y mul a godai i fyny,
A Joni bwysai i lawr,
Gan weiddi'n groch a rhegi,
Wel dyma helynt fawr!
Tan ganu...

6 Doedd yno yr un person
Na chlochydd o fewn llaw,
I roddi y mul truan
I orwedd yn y baw
Tan ganu...

7 Y mul a godai i fyny
Ei olwg tua'r nen,
A'r bobol yn gorfoleddu
Haleliwia byth! Amen!
Tan ganu...

9 Y PYB AR Y BRYN

(Tôn: Y Pren ar y Bryn)

1 Ar y bryn roedd pyb, O byb braf!
Y pyb ar y bryn,
A'r bryn ar y ddaear,
A'r ddaear ar ddim—
Ffeind a braf oedd y bryn lle safai y pyb.

2 Yn y pyb roedd bar, O far braf!
Y bar yn y pyb,
A'r pyb ar y bryn,
A'r bryn ar y ddaear,
A'r ddaear ar ddim—
Ffeind a braf oedd y bryn lle safai y pyb.

3 Ar y bar roedd peint, O beint braf!
ag ati

4 Yn y peint roedd cwrw, O gwrw braf!
ag ati

5 Ar y cwrw roedd ewyn, O ewyn braf!
ag ati

6 Ar yr ewyn roedd blas, O flas braf!
ag ati

7 Ar y blas roedd ewyn, O ewyn braf!
Yr ewyn ar y blas,
A'r blas ar yr ewyn,
A'r ewyn ar y cwrw,
A'r cwrw yn y peint,
ag ati.

8 Ar yr ewyn roedd cwrw, O gwrw braf!
Y cwrw ar yr ewyn,
A'r ewyn ar y blas,
A'r blas ar yr ewyn,
A'r ewyn ar y cwrw,

A'r cwrw yn y peint,
ag ati

9 Yn y cwrw roedd peint, O beint braf!
ag ati

10 Ar y peint roedd bar, O far braf!
ag ati

11 Yn y bar roedd pyb, O byb braf!
ag ati
agatiagatiagatiagati...

10 ROWND YR HORN

1 Daeth diwrnod i ffarwelio
Ag annwyl wlad y Cymro
Gan sefyll ar hen dir y Werddon fras;
Fe gododd gwynt yn nerthol,
Y môr â'i donnau rhuthrol,
Gan olchi dros ein llestr annwyl las.

Cytgan:
Dewch Gymry glân
I wrando ar fy nghân
Fel bu y fordaith, rownd yr Horn,
rownd yr Horn,
Sef y trydydd dydd o'r wythnos
Ychydig cyn y cyfnos
Gan basio ger glân greigiau glannau Môn.

2 Rwy wedi mynd a dŵad
Mewn llongau hardd 'u gwelad
Ond dyma'r wyrcws benna gefais i,
Does yma ddim i'w fwyta
Ond gwaith sydd lond ein breichia,
O, calon pwy all beidio bod yn brudd!

Cytgan: Dewch Gymry glân etc.

11 HEN FFON FY NAIN

1 A welsoch chi hen ffon fy nain
Sy'n union fel y saeth?
Mae'n hynach heddiw nag erioed
Ond nid yw lawer gwaeth;
Roedd hon mewn bri cyn bod run trên
Yn cario nain trwy'i hoes,
A'i chario wnaeth i byrth y bedd
Heb unwaith gweryl croes.

2 Trwy gymorth hon y troediai gynt
I'r capel dros y bryn,
Trwy'r haf a'r gaeaf, glaw a gwynt,
Y rhew a'r eira gwyn;
Ac os digwyddai daro'i throed
Wrth faen ar lwybr y fron,
Pan daenai'r nos ei phruddaidd len
"Diogel", meddai'r ffon.

3 Pan oeddwn gynt yn blentyn bach
Yn dechrau troedio cam,
I dŷ fy nain y rhoddwn dro
Heb wybod i fy mam;
Fe wyddwn hyn yn eithaf da,
Er maint fy ofn a'm braw,
Na chawswn gam gan undyn byw
Os byddai'r ffon gerllaw.

4 Ond erbyn hyn, mae nain mewn hedd,
Yn ieuanc ac yn llon,
Heb arwydd henaint ar ei gwedd
Yn rhodio heb ei ffon;
A'r ffon yn gorffwys ddydd a nos
Mewn cornel dawel, gain,
O na chawn innau fynd i'r bedd
Ar bwys "Hen Ffon fy Nain".

12 EI DI BYTH I'R NE

1 Ei di byth i'r Ne drwy lyfu tîn:
Os ei di mewn, mi ei dy hun.

Cytgan:
Wna i ddim poeni'r Arglwydd mwy. (3 gwaith)

2 Ei di byth i'r Ne 'da *Llais y Sais*—
Does yn y Ne ddim sôn am drais.

3 Ei di byth i'r Ne â chan-saith-beint,
Wath dim ond medd a ŷf y saint.

4 Ei di byth i'r Ne 'da OBE:
Ni roddodd Duw yr un digrî.

5 Ei di byth i'r Ne drwy ddrws y cefn,
Mae'n rhaid i bawb i blygu i'r drefn.

6 Ei di byth i'r Ne 'da'r BBC,
Mae'r criw i gyd yn rhostio'n ffri.

ag ati, ag ati...

13 MOLIANNWN

1 Nawr lanciau, rhoddwn glod,
Y mae'r gwanwyn wedi dod,
Y gaeaf a'r oerni a aeth heibio;
Daw'r coed i wisgo'u dail,
A mwyniant mwyn yr haul,
A'r ŵyn ar y dolydd i brancio:

Cytgan:
Moliannwn oll yn llon,
Mae amser gwell i ddyfod, Ha-ha-leliwia,
Ac ar ôl y tywydd drwg
Fe wnawn arian fel y mwg,
Mae arwyddion dymunol o'n blaenau.
Ffwdl, la, la, ffwdl, la, la,
Ffwdl, la, la, la, la, la, la,
Ffwdl, la, la, ffwdl, la, la,
Ffwdl, la, la, la, la, la, la,

2 Daw'r Robin Goch yn llon
I diwnio ar y fron,
A cheiliog y rhedyn i ganu,
A chawn glywed wiparwhîl,
A llyffantod wrth y fil,
O'r goedwig ym mwmian chwibanu.

Cytgan: Moliannwn oll yn llon, etc.

3 Fe awn i lawr i'r dre,
Gwir ddedwydd fydd ein lle,
A llawnder o ganu ac o ddawnsio,
A chwmpeini naw neu ddeg
O enethod glân a theg,
Lle mae mwyniant y byd yn disgleirio.

Cytgan: Moliannwn oll yn llon, etc.

14 WRTH FYND EFO DEIO I DYWYN

1 Mi dderbyniais bwt o lythyr,
Ffa la la la la la la la la la la
Oddi wrth Mr Jones o'r Brithdir,
Ffa la la la la la la la la la la
Ac yn hwnnw roedd o'n gofyn
Ffa la la la la la la la la la la
Awn i efo Deio i Dywyn,
Ffa la la la la la la la la la la.

2 Fe gychwynnwyd ar nos Wener
Ffa la la...
Doed i Fawddwy erbyn swper.
Ffa la la...
Fe gawd yno uwd a menyn
Ffa la la...
Wrth fynd efo Deio i Dywyn
Ffa la la...

3 Doed ymlaen a heibio'r Ddinas
Ffa la la...
Caed bara a chaws a chwrw 'Ngwanas
Ffa la la...
Drwy Dalyllyn yr aem ni'n llinyn,
Ffa la la...
Wrth fynd efo Deio i Dywyn
Ffa la la...

4 Doen drwy Abergynolwyn
Ffa la la...
Ac ymlaen dan Graig y Deryn
Ffa la la...
Pan gyrhaeddsom Ynys Maengwyn
Ffa la la...
Gwaeddai Deio, "Dacw Dywyn,"
Ffa la la...

5 Os bydda'i byw un flwyddyn eto
  Ffa la la...
Mynna'n helaeth iawn gynilo,
  Ffa la la...
Mi ga'i bleser anghyffredin
  Ffa la la...
Wrth fynd efo Deio i Dywyn
  Ffa la la...

15 YR HEN AMSER GYNT

(Tôn: Auld Lang Syne)

1 Bu'n hoff i mi wrth deithio 'mhell
  Gael croeso ar fy hynt;
Mil hoffach yw cael henffych well
  Gan un fu'n gyfaill gynt.

Cytgan:
Er mwyn yr amser gynt, fy ffrins,
Er mwyn yr amser gynt;
Cawn wydraid bach cyn canu'n iach,
Er mwyn yr amser gynt.

2 Yn chwarae buom lawer tro
  A'n pennau yn y gwynt;
A phleser mawr yw cadw co'
  O'r hyfryd amser gynt.

3 Er digwyddiadau fwy na rhi'
  Er gwario llawer punt,
Er pob rhyw goll, ni chollais i
  Mo'r cof o'r amser gynt.

4 Tra curo calon dan fy mron,
  Er mwyn ein hylon hynt,
Tra cara'i ngwlad, tra llygad llon,
  Mi gofia'r amser gynt.

16 MAE'N WLAD I MI

1 Mi fûm yn crwydro hyd lwybrau unig
Ar foelydd meithion yr hen Arenig,
A chlywn yr awel yn dweud yn dawel,
"Mae'r wlad hon yn eiddo i ti a mi."

Cytgan:
Mae'n wlad i mi ac mae'n wlad i tithau
O gopa'r Wyddfa i lawr i'w thraethau,
O'r De i'r Gogledd, o Fôn i Fynwy,
Mae'r wlad hon yn eiddo i ti a mi.

2 Mi welais ddyfroedd Dyfyrdwy'n loetran,
Wrth droed yr Aran ar noson loergan,
A'r tonnau'n sisial ar lan Llyn Tegid,
"Mae'r wlad hon yn eiddo i ti a mi."

3 Mae tywod euraid ar draeth Llangrannog
A'r môr yn wyrddlas ym mae Llanbedrog:
O dan yr eigion mae clychau'n canu,
"Mae'r wlad hon yn eiddo i ti a mi."

17 MILGI MILGI

1 Ar ben y bryn mae sgwarnog fach,
Ar hyd y nos mae'n pori,
A'i chefen brith a'i bola, bola gwyn
Yn hidio dim am filgi:

Cytgan:
Milgi Milgi, milgi milgi
Rhowch fwy o fwyd i'r milgi,
Milgi milgi, milgi milgi,
Rhowch fwy o fwyd i'r milgi.

2 Ac wedi rhedeg tipyn, tipyn bach
Mae'n rhedeg mor ofnadwy,
Ag un glust lan a'r llall i lawr
Yn dweud ffarwel i'r milgi:

3 Rôl rhedeg sbel mae'r milgi chwim
Yn teimlo'i fod e'n blino,
A gwelir ef yn swp, yn swp ar lawr
Mewn poenau mawr yn gwingo;

4 Ond dal i fynd wna'r sgwarnog fach
A throi yn ôl i wenu
Gan sboncio'n heini dros y bryn
A dweud ffarwel i'r milgi.

(Tôn yn newid i 'Ickley Moor')

Mae milgi mawr 'da dat (3)
Paid ti â becso dim o'r dam
Mae milgi mawr da dat.

18 HEI HO

1 Hei ho, Hei ho,
Awn i Sir Fôn am dro,
Awn dros y bont
I chwilio am *
Hei ho, Hei ho.

2 Hei ho, Hei ho,
Awn i Sir Fôn am dro,
Awn i Fryngwran
I chwilio am *
Hei ho, Hei ho.

3 Hei ho, Hei ho,
Awn i Sir Fôn am dro,
Awn dros y dŵr
I chwilio am *
Hei ho, Hei ho.

4 Hei ho, Hei ho,
Awn i Sir Fôn am dro,
Awn i Lanfairpwll
I chwilio am *
Hei ho, Hei ho.

5 Hei ho, hei ho,
Awn i Sir Fôn am dro,
Awn i Langefni
Ac ar 'i chefn hi
Hei ho, Hei ho.

19 RHYFELGYRCH GWŶR HARLECH

1 Wele goelcerth wen yn fflamio,
A thafodau tân yn bloeddio,
Ar i'r dewrion ddod i daro,
Unwaith eto'n un.
Gan fanllefau tywysogion,
Llais gelynion, trwst arfogion,
A charlamiad y marchogion,
Craig ar graig a grŷn!
Arfon byth ni orfydd,
Cenir yn dragywydd;
Cymru fydd fel Cymru fu,
Yn glodus ymysg gwledydd,
Yng ngwyn oleuni'r goelcerth acw
Tros wefusau Cymro'n marw,
Annibyniaeth sydd yn galw,
Am ei dewraf dyn.

2 Ni chaiff gelyn ladd ac ymlid.
Harlech! Harlech! Cwyd i'w herlid;
Y mae Rhoddwr mawr ein rhyddid
Yn rhoi nerth i ni.

Wele Gymru a'i byddinoedd
Yn ymdywallt o'r mynyddoedd,
Rhuthrant fel rhaeadrau dyfroedd,
Llamant fel y lli.
Llwyddiant i'n lluyddion!
Rwystro bâr yr estron!
Gwybod yn ei galon gaiff
Fel bratha cleddyf Brython;
Y cledd yn erbyn cledd a chwery,
Dur yn erbyn dur a dery;
Wele faner Gwalia i fyny,
Rhyddid aiff â hi.

20 LAWR AR LAN Y MÔR

1 Mi gwrddais i â merch fach ddel
Lawr ar lan y môr,
Lawr ar lan y môr,
Lawr ar lan y môr,
Mi gwrddais i â merch fach ddel
Lawr ar lan y môr,
Lawr ar lan y môr.

Cytgan:
O-o-o rwy'n ei charu hi
O, rwy'n ei charu hi
Yr eneth ar lan y môr. (Ddwywaith)

2 Gofynnais am un gusan fach
Lawr ar lan y môr (Teirgwaith)
Gofynnais am un gusan fach
Lawr ar lan y môr. (Ddwywaith)

Cytgan: O-o-o rwy'n ei charu hi, etc

3 Mi gefais i un gusan fach
   Lawr ar lan y môr, (Teirgwaith)
Mi gefais i un gusan fach
   Lawr ar lan y môr: (Ddwywaith)

Cytgan: O-o-o rwy'n ei charu hi, etc.

4 Rhyw ddiwrnod fe'i priodaf hi
   Lawr ar lan y môr, (Tairgwaith)
Rhyw ddiwrnod fe'i priodaf hi
   Lawr ar lan y môr: (Ddwywaith)

Cytgan: O-o-o rwy'n ei charu hi, etc.

21 MAE RHYWUN WEDI DWYN FY NHRWYN

1 Mae Joni yn y carchar mawr yn wylo am ei dad
Ac mae'i dad e yn y carchar lan llofft.
Mae Siwsi yn y bathrwm, mae hi'n golchi blaen ei throed
Ac mae'n nhw'n deulu digon taclus, maen nhw'n sofft.
Mae Anti Ethel Raser sydd yn mynd ag Ebeneser
Wedi gwerthu ci a boddi crocodeil.
Mae'n mynd i fyw yn Llundain gyda dyn ag arian mawr,
Mae hi wastad wedi hoffi byw mewn steil.

Cytgan:
Mawredd mawr, steddwch i lawr,
Mae rhywun wedi dwyn fy nhrwyn.
Mawredd mawr, steddwch i lawr,
Mae rhywun wedi dwyn fy nhrwyn.

2 Mae 'na ddynion o Dreorci, mae 'na ddynion mawr yn Sblot,
Mae 'na ddynion sydd yn byw yn Periw;

Mae 'na ddynion sydd yn hoffi byta caws ac yfed coffi,
Mae 'na rai sydd hyd yn oed yn dweud 'Jiw, jiw'.
Mae 'na rai sy'n cynganeddu, mae 'na rai sy'n torri beddi,
Mae 'na rai sy'n plygu ciwcymbars yn Sbaen,
Ond y fi sy'n shafo gwsberis a'u gwerthu nhw fel grêps
Am fy mod yn un sy'n gwrthwynebu chwain.

Dewi Pws Morris

22 MEDDEN NHW

1 Mae'r diawl yn y gasgen gwrw, medden nhw: (2)
Mae'r diawl yn y gasgen gwrw; (2)
Mae'r diawl yn y gasgen gwrw, medden nhw.

2 Mae tafarn yn y nefoedd, medden nhw.

3 Yn llawn o ddiaconiaid, medden nhw.

4 Heb un â bagal tano, medden nhw.

5 Dewi Sant sydd yno'n farman, medden nhw.

6 Mae tafarn yn y nefoedd, medden nhw.

7 Ac mae'n nefoedd yn y dafarn, medden nhw.

1 Mae llongau Mari Bifan ar y môr.

2 Yn hwylio i'r Amerig, medden nhw.

3 Yn llawn o benwaig cochion, medden nhw.

4 A'r rheini wedi drewi, medden nhw.

5 Maen nhw'n ddigon da i'r Saeson, medden nhw.

6 Mi fytith rheini rywbeth, medden nhw.

7 Gobeithio gwnân nhw farw, medden nhw.

8 A llosgi byth yn Uffern, medden nhw.

1 Maen nhw'n methu dal y llosgwyr, medden nhw.
2 A diolch byth am hynny, medden nhw.
3 Cawn wared o'r holl Saeson, medden nhw.
4 Twll tîn pob Sais a Thori, medden nhw.

23 IECHYD DA, FONEDDIGION

1 Iechyd da i chwi foneddigion
Dewch i weld os yw'r gwin yn dda,
Iechyd da i chwi foneddigion
Dewch i weld os yw'r gwin yn dda;

Cytgan:
Dewch i weld, O, la la, dewch i weld, O, la la,
Dewch i weld os yw'r gwin yn dda,
Dewch i weld, O, la la, dewch i weld, O, la la,
Dewch i weld os yw'r gwin yn dda.

2 Peidiwch dweud wrth y diaconiaid
Rhag i ni gael y'n torri mas.

3 Cleddwch fi pan y byddwyf farw
Mewn cell win lle mae'r gwin yn dda.

4 Rhowch fy nhraed wrth y mur i orffwys,
Rhowch fy mhen jest o dan y tap.

5 Ar fy medd gallwch ysgrifennu,
Dyma fedd y meddwyn mwya 'rioed.

24 CAIFF CYMRU EI RHYDDID CYN HIR

(Tôn: Daeth Iesu I'm Calon I Fyw)

1 Y mae'r deffro ar gerdded hyd lwybrau ein gwlad.
Caiff Cymru ei rhyddid cyn hir,
Ac mae'r heniaith yn galw pob Cymro i'r gad,
Caiff Cymru ei rhyddid cyn hir.

Cytgan:
Caiff Cymru ei rhyddid cyn hir,
Caiff Cymru ei rhyddid cyn hir,
Daw llawenydd i'm bron megis ton ar ôl ton—
Caiff Cymru ei rhyddid cyn hir.

25 DAW, FE DDAW YR AWR

1 Wyt ti'n cofio'r Ysgol Fomio, a losgwyd gan dri gŵr;
Y tân a daniwyd yno sy'n dal ynghyn, rwy'n siwr.
Llosgwyd ysgol—dân anfarwol;
Daw fe ddaw yr awr yn ôl i mi.

2 Wyt ti'n cofio teulu'r Bîslis yn gwrthod talu'r dreth,
A gwŷr Llanelli'n gofyn, Y ffylied dwl—i beth?
Cofio'u haberth, a'u gweledigaeth;
Daw, fe ddaw yr awr yn ôl i mi.

3 Wyt ti'n cofio sgwâr Caerfyrddin pan oedd Emyr yn y llys,
A'r dyrfa fawr yn ddistaw, ac yntau'n cael deuddeg mis
Am fod yn Gymro—wyt ti'n cofio?
Daw, fe ddaw yr awr yn ôl i mi.

4 Wyt ti'n cofio Pont Trefechan, a'r brotest gynta'i gyd,
A'r Cardis yn methu deall pam oedd Cymry'n blocio'u stryd
Heb ddim achos—Codwch blantos!
Daw, fe ddaw yr awr yn ôl i mi.

5 Wyt ti'n cofio mynd ar brotest i dre Dolgellau deg,
A llanciau'r dre a'r plismyn yn taflu dwrn a rheg
Fel cosb am hawlio parch i'r Cymro;
Daw, fe ddaw yr awr yn ôl i mi.

6 Wyt ti'n cofio Twm yng ngharchar am sefyll dros ei hawl,
A phobl Cymru'n ei wawdio a'i alw'n ffŵl a diawl
Am fod yn Gymro—wyt ti'n cofio?
Daw, fe ddaw yr awr yn ôl i mi.

7 Wyt ti'n cofio Cwm Tryweryn pan agorwyd argau'r trais,
A dialedd hwyr y Cymry yn boddi geiriau'r Sais,
Wyt ti'n cofio—Rhy hwyr, Gymro!
Daw, fe ddaw yr awr yn ôl i mi.

8 Wyt ti'n cofio sgwâr Caerfyrddin pan gododd Cymru'i phen
Llawenydd yn ein dagrau, a Gwynfor yno'n ben,
Wyt ti'n cofio nos y gwawrio?
Daw, fe ddaw yr awr yn ôl i mi.

9 Wyt ti'n cofio'r gŵr bach rhadlon a'i wên fel toriad dydd,
Ei sgwrs fel bwrlwm afon a'i freuddwyd am y Gymru Rydd?
Wyt ti'n cofio, Cawr o Gymro,
Daw, fe ddaw yr awr yn ôl imi.

10 Wyt ti'n cofio'r straeon lliwgar am bridd ei filltir sgwâr,
A'i gnoc ar ddrws dy galon wrth sôn am y bywyd gwâr?
Wyt ti'n cofio nos y gwawrio?
Daw fe ddaw yr awr yn ôl i mi.

11 Wyt ti'n cofio'r llysoedd mynych, pan oedd Cymry ar eu praw?
Wyt ti'n cofio'r geiriau a ddywedodd, wyt ti'n cofio'r ysgwyd llaw?
Wyt ti'n cofio nos y gwawrio?
Daw fe ddaw yr awr yn ôl i mi.

Dafydd Iwan

26 MIGLDI, MAGLDI

1 Ffeind a difyr ydyw gweled,
Migldi, Magldi, Hei Now Now
Drws yr efail yn agored,
Migldi, Magldi, Hei Now Now
A'r gof bach â'i wyneb purddu,
Migldi, Magldi, Hei Now Now
Yn yr efail yn prysur chwythu,
Migldi, Magldi, Hei Now Now

2 Ffeind a difyr hirnos gaea'
Mynd i'r efail am y cynta',
Pan fo rhew ac eira allan
Gorau pwynt fydd wrth y pentan.

3 Ffeind a braf yw sŵn y fegin,
Gwrando chwedl, cân ac englyn,
Pan fo'r cwmni yn ei afiaith,
Ceir hanesion lawer noswaith.

4 Pan ddaw'r môr i ben y mynydd,
A'i ddwy ymyl at ei gilydd,
A'r coed rhosys yn dwyn fala,
Dyna'r pryd y cei di finna.

27 NWY YN Y NEN

1 Ar ben y mynydd mae cwmwl gwyn,
A'r haul yn dawnsio ar donnau'r llyn,
Mae drws yr eglwys wedi cloi,
A glas y dorlan wedi ffoi.
Mae'r plant yn gadael am y dre,
Mae'r plant yn gadael am y dre.

Cytgan:
Ond mae nwy yn y nen
Ac mae'r lleuad yn wen
Ac mae rhywbeth o'i le yn y dre...
Ond mae nwy yn y nen
Ac mae'r lleuad yn wen
Ac mae rhywbeth o'i le yn y dre.

2 Glaw yn disgyn, dagrau o aur,
Sŵn tywyllwch a dawns y dail.
Mae'r ysgol fechan heb ei chân,
Teganau pren yn deilchion mân,
A'r plant yn gadael am y dre,
A'r plant yn gadael am y dre.

3 A phan ddaw gwanwyn i hebrwng haf,
Mewn dyffryn unig ar fore braf,
Mi glywaf sŵn y traed ar ras
Yn dweud ffarwel i'r ddinas gas.
Mae'r plant yn mynd yn ôl i'r wlad,
Mae'r plant yn rhedeg nôl i'r wlad.

Dewi Pws Morris

28 PEINTIO'R BYD YN WYRDD

1 Ffarwel i blygu glin
A llyfu tîn y Sais,
Ffarwel daeogrwydd blin,
Fe waeddwn ag un llais;

Cytgan:
I'r caeau awn â'n can
A bloeddiwn yn y ffyrdd,
Rhown Gymru oll ar dân
A pheintio'r byd yn wyrdd,
Cawn beintio'r byd yn wyrdd, hogia,
Peintio'r byd yn wyrdd;
Rhown Gymru oll ar dân hogia,
A pheintio'r byd yn wyrdd.

2 Wrth edrych ar y graith
Ar dalcen balch y Ddraig,
Ymladdwn dros yr iaith
Gwnawn bopeth yn Gymraeg.

Cytgan:

3 Daeth heddlu cudd a'u brad
I daflu'r bois i'r gell—
Er carchar a sarhâd
Dyw'n rhyddid ddim ymhell.

Cytgan:

4 Fe welsom reibio'n plwy
A Thrywerynnu'n stâd,
Ond ni fydd hynny mwy—
Cawsom ddigon ar sarhâd!

Cytgan:

Dafydd Iwan

29 IE, IE, 'NA FE

1 On dyw hi'n biti, on dyw hi'n shêm,
On dyw hi'n gwilydd mawr,
Bod holl ieuenctid gwlad y gân
Yn tynnu arwyddion i lawr.
Mynd i'r carchar am dri mis,
Borstal am flwyddyn neu ddwy.
Mae bil y Barnwr yn mynd yn fwy
Ond mae'r seins yn mynd yn llai.

Cytgan:
Wel ie, ie, 'na fe; Wel ie, ie, 'na fe;
Wel ie, ie, 'na fe; Wel ie, ie, ie, 'na fe;

2 F'anwylyd gariad, o gwrando 'nghri
A paid ag edrych mor syn,
Mae gen i bwt bach o eglurhad,
Pwyntia'th glustie at hyn.
Mae bois y bryniau yn fois mor fach
A bil y Barnwr mor fawr;
O tyrd i ffwrdd i ganol y nos—
Rhaid yw eu tynnu i lawr.

Dewi Pws Morris

30 HEN FERCHETAN

1 Hen ferchetan wedi colli'i chariad,
Ffoldirol-dirol-lol, ffoldirol-diro
Cael un arall, dyna oedd ei bwriad;
Ffoldirol-dirol-lol, ffoldirol-diro,
Ond nid oedd un o lanciau'r pentre,
Ffoldirol-loldi-roldiro,
Am briodi Lisa fach yr Hendre,
Ffoldirol-dirol-lol, ffoldirol-diro.

2 Hen ferchetan sydd yn dal i dreio, Ffoldirol...
Gwisgo lasie sidan ac ymbincio; Ffoldirol...
Ond er bod brân i frân yn rhywle, Ffoldirol...
Nid oes neb i Lisa fach yr Hendre, Ffoldirol...

3 Hen ferchetan bron â thorri'i chalon,
Mynd i'r Llan mae pawb o'r hen gariadon;
Bydd tatws newydd ar bren fale,
Cyn priodith Lisa fach yr Hendre'.

4 Hen ferchetan aeth i ffair y Bala
Gweld Siôn Prys yn fachgen digon smala;
Gair a ddywedodd wrth fynd adre,
Gododd galon Lisa fach yr Hendre.

31 PYMTHEG PEINT AR HUGAIN

(Tôn: Eistedd ar ben llidiart)

1 Bydd haneswyr Cymru'n sôn
O Sir Fynwy i Sir Fôn
Am y weithred ddewra'n siŵr
Ers Llywelyn a Glyndŵr.

Cytgan:
Pymtheg peint ar hugain, (3)
Dyna yfodd Twm.

2 Tafarn Jem oedd maes y gad,
Lle mae bityr gorau'r wlad;
Tan y bedd mi gofia'r dydd—
Dyna pan ddaeth Cymru'n rhydd.

3 "Un ffordd sydd," dywedodd Gron
Wrth y cwmni llawen llon,
"O fesur cariad bois fel ni
At ein gwlad, a dyma hi."

4 "Fe gawn ornest fawr ei sêl
Pwy fydd yfwr mwya'r êl;
Y Pencampwr," medde fe,
"Ydi Cymro gorau'r lle."

5 Aeth yr haul yn goch fel tân
Ond roedd pawb yn yfed mlân;
Yna medde Jac y Sais,
"Rhaid i fi roi'r gore i'r cais."

6 Daeth y nos, a naw neu ddeg
Ar eu cefnau'n methu'n deg;
"Yfwn mlân," gorchmynodd Glyn,
"Hawlia Cymru well na hyn."

7 Erbyn diwedd, dim ond dau
Oedd ar ôl, yn eitha brau:
Twm o Lŷn, y Cymro glew,
A'r ymladdwr, Ifan Llew.

8 Dywedodd y tafarnwr hy',
"Y mae'r nesa ar y tŷ."
Llanwyd y glaseidiau i gyd—
Cwympodd Ifan ar ei hyd.

9 Yfodd Twm yr êl i lawr
Ac un arall—dyna gawr;
Do fe yfodd ef yn iawn
Bymtheg peint ar hugain llawn.

10 Bythgofiadwy oedd y dydd
Pan ddaeth Cymru fach yn rhydd;
Yfwn ninnau heno'n awr
I ddyrchafu'r noson fawr.

32 Y GELYNEN

1 Fy mwyn gyfeillion dewch ynghyd
  Mewn pryd i ganmol y glasbren,
Pren canmolus, gweddus gwiw
  A'i enw yw y gelynen:

Cytgan: Ffal-di-rw-di-lam-tam, tw-li ridl-di,etc.

2 I ba beth cyffelybaf hon?
  I focsen gron, neu ywen,
Neu ryw neuadd wych o blas,
  Ond ffein yw'r lew gelynen!

3 Pe bai'r eos heb un tŷ,
  Neu geiliog du'r fwyalchen,
Hwyr y daw, a hir y trig
  Tan gysgod brig celynen:

4 Pe bai hi'n bwrw glaw neu ôd
  Mi allwn fod yn llawen;
Neu ryw dywydd a f'ai fwy—
  Does dim ddaw trwy'r gelynen:

5 Fe ddaw'r cynhaea i'r cyll yn llawn,
  Pren noddol iawn yw'r onnen;
Ond tecach peth yw'r g'lynen glyd
  Na'r eirian sy' hyd y ddraenen:

6 A phan ddelo gwres yr haf,
  O ffeind a braf yw'r fedwen,
Ond pan ddelo'r gaeaf dig
  Mae'n well dan frig celynen:

33 AR HYD Y NOS

1 Holl amrantau'r sêr ddywedant
Ar hyd y nos,
Dyma'r ffordd i fro gogoniant
Ar hyd y nos,
Golau arall yw tywyllwch
I arddangos gwir brydferthwch
Teulu'r nefoedd mewn tawelwch
A'r hyd y nos.

2 O mor siriol gwena seren
Ar hyd y nos,
I oleuo'i chwaer ddaearen
Ar hyd y nos,
Nos yw henaint pan ddaw cystudd,
Ond i harddu dyn a'i hwyrddydd
Rhown ein golau gwan i'n gilydd
Ar hyd y nos.

34 TÔN Y MELINYDD

1 Mae gennyf dŷ cysurus,
A melin newydd sbon,
A thair o wartheg blithion
Yn pori ar y fron.

Cytgan: Weli di weli di, Mari fach,
Weli di, Mari annwyl.

2 Mae gennyf drol a cheffyl,
A merlyn bychan twt,
A deg o ddefaid tewion,
A mochyn yn y cwt.

3 Mae gennyf gwpwr' cornel
Yn llawn o lestri te,
A dreser yn y gegin
A phopeth yn ei le.

35 CROEN Y DDAFAD FELEN

1 Croen y ddafad felen
Tu gwrthwyneb allan,
Troed ymlaen a throed yn ôl
A throed yn taflu allan;
Croen y ddafan felen
Dan ddwy bibell glaerwen,
Troed i fyny a throed i lawr
A throed yn cicio'r nen-bren.

2 Croen y ddafad felen,
Gorwedd ar ei gefen
Crwth a phib a thelyn rawn,
A'r traed yn gwlwm dolen:
Croen y ddafad felen,
Lle mae lluoedd llawen,
Ysgafn droed ac osgo'r dryw,
I lamu fel colomen.

3 Croen y ddafad felen
Pawb yn ôl ei elfen,
Naid yn ôl a naid ymlaen,
A naid yn ôl drachefen.
Croen y ddafad felen,
Dawns y noson lawen,
Traed yn gwau fel troad gwynt;
A neidio fel dwy aden.

4 Croen y ddafad felen,
Ddaw a hoen a heulwen,
Pawb a dry ar ysgafn droed,
A llywio'i gwrs yn llawen:
Croen y ddafad felen,
Dawns y galon lawen,
Troed yn ôl a throed ymlaen,
A throed yn cicio'r nenbren.

36 GWENNO PENYGELLI

1 Rwy'n ddeg-ar-hugain oed
  Ac arna'i chwant priodi
Geneth ysgafn droed
  Fel Gwenno Penygelli
Mae ganddi ddillad crand
  Ac mae hi'n eneth bropor,
A deg punt yn y banc
  Ar ôl ei modryb Gaenor.

Cyt: Di wec ffal-di-lal-lal-la,
  Di wec ffal-di-lal-lal-la,
  Di wec ffal-di-lal-la, lal-la-la.

2 Mae gen i het Jim Cro
  Yn barod i fy siwrne,
A sgidie o groen llo
  A gwisg o frethyn cartre;
Mae gen i dŷ yn llawn
  Yn barod i'w chroesawu,
A phedair tas o fawn
  A dillad ar fy ngwely.

3 Mae gen i ddafad ddu
  Yn pori ar Eryri,
Chwiaden, cath a chi
  A gwartheg lond y beudy;
Mi fedraf dasu a thoi
  A chanu, a dal yr arad,
A gweithio heb ymdroi
  A thorri gwrych yn wastad.

37 HIRAETH

1 Dwedwch, fawrion o wybodaeth,
O ba beth y gwnaethpwyd hiraeth;
A pha ddefnydd a roed ynddo
Na ddarfyddai wrth ei wisgo?

2 Derfydd aur a derfydd arian,
Derfydd melfed, derfydd sidan;
Derfydd pob dilledyn helaeth,
Eto er hyn ni dderfydd hiraeth.

3 Hiraeth mawr a hiraeth creulon,
Hiraeth sydd yn torri 'nghalon,
Pan fwy' dryma'r nos yn cysgu
Fe ddaw hiraeth ac a'm deffry.

4 Hiraeth, hiraeth, cilia, cilia,
Paid â phwyso mor drwm arna',
Nesa dipyn at yr erchwyn,
Gad i mi gael cysgu gronyn.

5 Fe gwn yr haul, fe gwn y lleuad,
Fe gwn y môr yn donnau irad,
Fe gwn y gwynt yn uchel ddigon,
Ni chwn yr Hiraeth byth o'r galon.

38 LISA LÂN

1 Bûm yn dy garu lawer gwaith,
Do, lawer awr mewn mwynder maith,
Bûm yn dy gusanu Lisa gêl,
Yr oedd dy gwmni'n well na'r mêl.

2 Fy nghangen lân fy nghowlad glyd,
Tydi yw'r lanaf yn y byd,
Tydi sy'n peri poen a chri
A thi sy'n dwyn fy mywyd i.

3 Pan fyddwy'n rhodio gyda'r dydd,
Fy nghalon fach sy'n mynd yn brudd;
Wrth glywed sŵn yr adar mân,
Daw hiraeth mawr am Lisa lân.

4 Pan fyddwy'n rhodio gyda'r hwyr
Fy nghalon fach a dôdd fel cwyr;
Wrth glywed sŵn yr adar man,
Daw hiraeth mawr am Lisa lân.

5 Pan fyddwy'n rhodio yn y ardd
Ymysg y blodau sydd yn hardd,
Yn torri'r mwyn friallu mân,
Daw hiraeth mawr am Lisa lân.

6 Pan fyddwy mewn llawenydd llon,
Fe ddaw rhyw boenau dan fy mron;
Wrth glywed sŵn y tannau mân,
Daw hiraeth mawr am Lisa lân.

7 Lisa, a ddoi di i'm danfon i,
I roi fy nghorff mewn daear ddu?
Gobeithio doi di f'annwyl ffrind
Hyd lan y bedd, lle'r wyf yn mynd.

39 MENTRA GWEN

1 Amdanat ti mae sôn, Wennaf Wen, Wennaf Wen,
O Fynwy fawr i Fôn, Wennaf Wen.
I'r castell acw heno,
Rhaid iti droi a huno,
Hen deulu iawn sydd ynddo,
Da di mentra, mentra Gwen.

2 O'th flaen mae mynydd maith, Wennaf Wen,
Gwell iti dorri'th daith, Wennaf Wen,
Wel yn fy mraich gan hynny,
Yr awn gan benderfynu,
Fod yn y castell lety,
Da di mentra, mentra Gwen.

3 Fi pia'r castell hwn, Wennaf Wen,
Ti elli fyw mi wn, Wennaf Wen,
Yn wraig yng Nghastell Crogen,
I'w barchu ef a'i berchen;
A chymer fi'n y fargen,
Da di mentra, mentra Gwen.

40 Y MOCHYN DU

1 Holl drigolion bro a bryniau
Dewch i wrando hyn o eiriau,
Fe gewch hanes rhyw hen fochyn
A fu farw yn dra sydyn.
O mor drwm yr ydym ni,
O mor drwm yr ydym ni,
Y mae yma alar calon
Ar ôl claddu'r mochyn du.

2 Beth oedd achos ei afiechyd?
Beth roes derfyn ar ei fywyd?
Ai maidd glas oedd achos ange
I'r hen fochyn i fynd adre?
O mor drwm etc.

3 Fe rowd mwy o faidd i'r mochyn
Na 'llsai fola bach e dderbyn,
Ymhen chydig o funude
Roedd y mochyn yn mynd adre.
O mor drwm etc.

4 Rhedodd Deio i Lwyncelyn
Mofyn Mati at y mochyn;
Dwedodd Mati wrtho'n union
Gallsai roi e heibio'n burion.
O mor drwm etc.

5 Gweithiwyd iddo focs o dderi
Wedi ei drimio a'i berarogli,
Ac fe weithiwyd bedd ardderchog
I'r hen fochyn yn Carncoediog.
O mor drwm etc.

6 Mofyn hers o Aberteifi
A cheffylau i'w thynnu fyny,
Y ceffylau yn llawn mwrnin
Er mwyn dangos parch i'r mochyn.
O mor drwm etc.

7 Y Parchedig Ŵen Twm Griffi
Ydoedd yno i bregethu,
Pawb yn sobor anghyffredin
Er mwyn dangos parch i'r mochyn.
O mor drwm etc.

8 Mati, Joseph, Pegi Wili
Ydoedd yno yn blaenori,
Pawb o'r teulu yno'n canlyn
Er mwyn dangos parch i'r mochyn.
O mor drwm etc.

9 Pawb yn gryno ddaethant adre
Oll â'u napcyn wrth eu penne,
Ac yn wylo'n anghyffredin
Er mwyn dangos parch i'r mochyn.
O mor drwm etc.

10 Edrych fyny ar y bachau,
Gweld hwy'n wag heb yr ystlysau,
Dim un tamaid i roi i undyn—
Colled fawr oedd colli'r mochyn.
O mor drwm etc.

11 Melys iawn yw cael rhyw sleisen
O gig mochyn gyda'r daten,
Ond yn awr rhaid byw heb hwnnw,
Y mochyn du sydd wedi marw.
O mor drwm etc.

12 Bellach rydwyf yn terfynu
Nawr, gan roddi heibio canu,
Gan ddymuno peidiwch dilyn
Siampl ddrwg wrth fwydo'r mochyn
O mor drwm etc.

41 FFARWEL I BLWY' LLANGYWER

1 Ffarwel i Blwy' Llangywer
A'r Bala dirion deg;
Ffarwel fy annwyl gariad,
Nid wyf yn enwi neb;
'Rwy'n mynd i wlad y Saeson,
A'm calon fel y plwm,
I ddawnsio o flaen y delyn
Ac i chwarae o flaen y drwm.

2 Ffarwel i'r Glyn a'r Fedw
A llethrau'r hen Gefn Gwyn;
Ffarwel i'r Llan a'i dwrw
A llwybrau min y llyn;
Wrth ganu'n iach i Feirion,
Os yw fy llais yn llon,
Yn sŵn yr hen alawon,
O! y pigyn sydd dan fy mron.

42 Y DERYN PUR

1 Y deryn pur a'r adain las,
  Bydd i mi'n was dibryder,
O! brysur brysia at y ferch,
  Lle rhoes i'm serch yn gynnar.
Dos di ati, dywad wrthi,
Mod i'n wylo'r dŵr yn heli
Mod i'n irad am ei gwelad,
Ac o'i chariad yn ffaelu a cherddad,
O! Duw faddeuo'r hardd ei llun
Am boeni dyn mor galad!

2 Pan o'wn yn hoenus iawn fy hwyl,
  Ddiwarnod gŵyl yn gwylio,
Canfyddwn fenyw lana 'rioed,
  Ar ysgawn droed yn rhodio.
Pan ei gwelais syth mi sefais,
Yn fy nghalon mi feddyliais,
Wele ddynes lan a'r deyrnas,
A'i gwên yn harddu'r oll o'i chwmpas;
Ni fyn'swn gredu un dyn byw,
Nad oedd hi ryw angylas!

43 MAB ANNWYL DY FAM

1 Ple buost ti neithiwr, mab annwyl dy fam?
Ple buost ti neithiwr, mab annwyl dy fam?
  Pysgota, mam annwyl:
  O c'weiriwch fy ngwely, 'rwy'n glaf, 'rwy'n glaf,
  A'm calon ar fyned i'r bedd.

2 Pa liw oedd dy bysgod, mab annwyl dy fam?
  Rhai brithion, mam annwyl:
  O c'weiriwch fy ngwely, etc.

3 Be' roi di i'th dad, mab annwyl dy fam?
O pum punt, mam annwyl:
O c'weiriwch fy ngwely, etc.

4 Be' roi di i'th chwaer, mab annwyl dy fam?
Wel injan i wnio:
O c'weiriwch fy ngwely, etc.

5 Be' roi di i'th gariad, mab annwyl dy fam?
Wel cortyn i'w chrogi:
O c'weiriwch fy ngwely, etc.

44 TRA BO DAU

1 Mae'r hon a gâr fy nghalon i,
Ymhell oddi yma'n byw,
A hiraeth am ei gweled hi,
A'm gwnaeth yn llwyd fy lliw;
Mil harddach yw y deg ei llun,
Na gwrid y wawr i mi,
A thrysor mwy yw serch fy mun,
Na chyfoeth byd a'i fri.

Cytgan:
Cyfoeth, nid yw ond oferedd,
Glendid nid yw yn parhau,
Ond cariad pur sydd fel y dur
Yn para tra bo dau.

2 Os claf o serch yw 'nghalon i,
Gobeithio'i bod hi'n iach;
Rwy'n caru'r tir lle cerddo hi
Dan wraidd fy nghalon fach;
O'r dewis hardd ddewisais i
Oedd dewis lodes lân,
A chyn bydd 'difar gennyf fi
O, rhewi wnaiff y tân.

45 HOB Y DERI DANDO

1 Mi fûm gynt yn caru Saesnes,
Hob y deri dando,
Cloben felen fawr anghynnes,
Hob y deri dando.
Ond pan soniai am briodi,
Siân fwyn, Siân,
Meddwn i, "Ai wil not mari",
Siân fwyn, tyrd i'r llwyn
I seinio'n fwyngu, Siani fwyn. (3)

2 Daeth ei mam rhyw ddiwrnod heibio,
Hob y deri dando,
Cloben fawr anghynnes eto,
Hob y deri dando.
Meddai hi, "Iw'l haf tw mari"
—Siân fwyn, Siân—
"Liwsi Mê, mai doter priti."
Siân fwyn, tyrd i'r llwyn
I seinio'n fwyngu, Siani fwyn. (3)

3 "Esgob Dafydd yn 'i sane!"
Hob y deri dando,
"What yew mîn?" gofynnais inne,
Hob y deri dando.
Meddai hi, "Iw'l haf tw mari,"
—Siân fwyn, Siân—
"In ddy ffamli wê is Liwsi."
Siân fwyn, tyrd i'r llwyn
I seinio'n fwyngu, Siani fwyn. (3)

4 Dyna pam rwy'n trigo'r awron,
Hob y deri dando,
Draw ym Mhatagonia dirion,
Hob y deri dando.
Dyn a ŵyr be ddaeth o'r Saesnes,
Siân fwyn, Siân,
Cloben felen fawr anghynnes.
Siân fwyn, tyrd i'r llwyn
I seinio'n fwyngu, Siani fwyn. (3)

46 FFLAT HUW PUW

1 Mae sŵn yn Mhortinllaen, sŵn hwylie'n codi:
Blocie i gyd yn gwichian, Dafydd Jones yn gweiddi:
Ni fedra'i aros gartre yn fy myw;
Rhaid i mi fynd yn llongwr iawn ar Fflat Huw Puw.
Fflat Huw Puw yn hwylio heno,
Sŵn y codi angor; mi fynna-i fynd i forio:
Mi wisga-i gap pig gloew tra bydda-i byw,
Os ca i fynd yn llongwr iawn ar Fflat Huw Puw.

2 Mi bryna-i yn y Werddon sane sidan,
Sgidie bach i ddawnsio, a rheiny â bycle arian;
Mi fyddai'n ŵr bonheddig tra bydda-i byw,
Os ca i fynd yn Gapten llong ar Fflat Huw Puw.
Mi gadwa-i Fflat fel parlwr gore,
Bydd sgwrio mawr a chrafu bob ben bore;
Mi fydd y pres yn sgleinio ar y llyw,
Pan fydda i yn Gapten llong ar Fflat Huw Puw.

47 HEN FRÂN FAWR DDU

1 Hen frân fawr ddu
Ar frig y to
Yn canu bâs,
Ho! Ho! Ho! Ho!
Es i nôl fy ngwn
I'w saethu hi
Ond cododd 'i chwt, chwt, chwt
Ac i ffwrdd â hi.

2 Hen chwannen fawr
Mor ddu â'r glo
Yn pigo dyn
Nes mynd o'i go;
Es i nôl fy lamp
I'w dala hi
Ond cododd 'i chwt, chwt, chwt
Ac i ffwrdd â hi.

3 Hen iâr fach bert
Yw'n iâr fach ni,
Un binc a melyn
A choch a du.
Fe aeth i'r berth
I ddodwy ŵy
Ond cododd 'i chwt, chwt, chwt
Ac i ffwrdd â hi.

48 DAW HYFRYD FIS MEHEFIN...

(Tôn gron)

Daw hyfryd fis Mehefin cyn bo hir
A chlywir y gwcw'n canu'n braf yn ein tir;
Gwcw, gwcw, gwcw,
Canu'n braf yn ein tir.

49 BLE MAE DANIEL?

(Tôn gron)

Ble mae Daniel? Ble mae Daniel?
Yn ffau'r llewod. Yn ffau'r llewod.
Am beth? Am beth?
Am iddo beidio addoli'r ddelw.

50 HET DRI CHORNEL

(Peidier â chanu'r geiriau a ddilëir)

1 Mae gen i het dri chornel,
Tri chornel sydd i'm het;
Ac os nad oes tri chornel,
Nid honno yw fy het.

2 Mae gen i --- dri chornel,
Tri chornel sydd i'm ---;
Ac os nad oes tri chornel,
Nid honno yw fy ---.

3 Mae gen i --- --- chornel,
--- chornel sydd i'm ---;
Ac os nad oes --- chornel,
Nid honno yw fy ---.

4 Mae gen i --- --- ---,
--- --- sydd i'm ---;
Ac os nad oes --- ---,
Nid honno yw fy ---.

51 MARI FACH FY NGHARIAD

1 Rhyw greadur bach o ffarmwr ydwyf
Ces friw dan fy mron;
Wrth ddilyn cwmpeini
Rhyw lodes fach lon;
Yr oedd honno yn un hollol
Ar gyflog yn byw
Ym mhalas Sion Morgan
O Hafod y Rhiw.

Cytgan:
Un mor annwyl, mor swynol,
   Yr harddaf yn fyw
Ydoedd Mari fach fy nghariad
   O Hafod y Rhiw.

2 Roedd ganddi lygaid duon
   Rhai gloywon—gwir yw;
A'i bochau fel rhosyn
   Yn wridog eu lliw;
Roedd ei gwallt hi yn gydynnau,
   Yn gyrliog a hir,
Wel, rown i'n ei charu
   A dwedyd y gwir.

Cytgan: Un mor annwyl, etc

3 Pan soniais am briodi,
   Mi ddwedodd yn syn,
Am beidio rhoi fy meddwl
   Ar rywbeth fel hyn;
"Am na allaf eich caru
   Mi ddwedaf yn syth,
Yn wraig i hen ffarmwr
   Ni ddeuaf i byth."

Cytgan: Un mor annwyl, etc

4 Y geiriau a lefarodd
   Oedd wermod i mi,
Ochneidiais ac wylais
   Fy nagrau yn lli,
Mi dorrais fy nghalon,
   Mi deimlais i'r byw,
A ffarweliais â Mari
   O Hafod y Rhiw.

Cytgan: Un mor annwyl, etc

52 MAE 'NGHARIAD I'N FENWS

1 Mae 'ngharIad i'n Fenws
  Mae 'ngharIad i'n fain,
Mae 'ngharIad i'n dlysach
  Na blodau y drain;
Fy ngharIad yw'r lana'
  A'r wynna'n y sir;
Nid canmol yr ydwyf
  Ond dwedyd y gwir.

2 Wych eneth fach annwyl
  Sy'n lodes mor lân,
Ei gruddiau mor writgoch,
  A'i dannedd mân, mân;
Ei dau lygad siriol
  A'i dwy ael fel gwawn—
Fy nghalon a'i carai
  Pe gwyddwn y cawn.

3 Mae 'ngharIad i'n caru
  Fel cawod o law,
Weithiau ffordd yma
  A weithiau ffordd draw;
Ond cariad pur, ffyddlon
  Ni chariff ond un—
Y sawl a gâr lawer
  Gaiff fod heb yr un.

53 MAGI THATSHYR

1 Dewch at y tân,
Gwrandewch ar fy nghân,
Mi ganaf i Magi Thatshyr;
Y ddynes o haearn
Brenhines y ddaear
Neb llai na Magi Thatshyr;
Fflachio mae'r mellt
Pan ddaw Magi To Gwellt
I osod y ddeddf i lawr,
Mae 'di canu ar Gymru
Awn yn ôl at y llymru,
Henffych O! Magi Thatshyr.

2 Mae pobl ddiniwed
Yn credu bod eu tynged
Yn nwylo Rhagluniaeth a ballu,
A hi Madam Sera
Sy'n deud yn y bora
Mai'n y lleuad a'r sêr mae'r gallu;
Ond celwydd yw hynny,
Yr un sy'n penderfynu
Yw Magi y ddynes to gwellt;
Mae 'di canu ar Gymru,
Awn yn ôl at y llymru,
Henffych O! Magi Thatshyr.

Dafydd Iwan

54 RHYFELGYRCH CAPTEN MORGAN

1 Rhwym wrth dy wregys, gleddyf gwyn dy dad;
Atynt, fy machgen, tros dy wlad.
Sych dy ddagrau, ar dy gyfrwy naid,
Gwrando'r saethau'n suo fel seirff di-baid.
Mwg y pentrefydd gyfyd gyda'r gwynt,
Draw dy gymrodyr ânt yn gynt.
Wrth dy fwa hyn wna'r fraich yn gref
Cofia am dy dad, fel bu farw ef.

2 Cynnal dy darian gadarn ar dy ais,
Cyfod dy faner, dychryn Sais.
Chwyth yr hen utgorn a ferwina 'i glust,
Pan fo'n encilio, bydd yn dyst.
Sŵn gorfoledd clyw yr ennyd hon,
Bloeddio 'Buddugoliaeth' tros Foel-y-don.
Bendith arnat, dos yn enw'r Nef,
Cofia am dy dad, fel bu farw ef.

55 PAN DDAW'R HEN GYMRU'N RHYDD

(Tôn: John Brown's Body)

1 Fe gaiff Tywysog Cymru werthu chips yn Llanbryn-mair (3)
Pan ddaw'r hen Gymru'n rhydd.

2 Fe gaiff Ow a Phrys, 'i frawd, fynd i lanhau jeriws Glanllyn.

3 Fe halwn Fargaret Thatshyr i gadw tŷ i Elwyn Jones.

4 Peth cynta' wnawn fydd rhoi i Dafydd Êl gic owt o'r Blaid.
ac yn y blaen...

56 HWB I'R GALON

1 I ba beth y byddaf brudd,
Ie pam y byddaf brudd,
I ba beth y byddaf brudd,
A throi llawenydd heibio?
Tra bwy'n ieuanc ac yn llon
Ie'n ieuanc ac yn llon,
Tra bwy'n ieuanc ac yn llon,
Rhof hwb i'r galon eto.
Ton ton ton, dyri ton ton ton,
Dyri ton ton ton, dyri ton ton ton.
Ton ton ton, dyri ton ton ton,
Dyri ton ton ton, dyri ton ton ton.

2 Hwb i'r galon doed a ddêl,
Ie'n wir, doed a ddêl,
Hwb i'r galon doed a ddêl,
Mae rhai na welant ddigon;
Ni waeth punt na llond y gôd,
Ni waeth punt na llond y gôd,
Ni waeth punt na llond y gôd,
Os medrir bod yn fodlon.
Ton ton ton, etc.

57 HEN FEIC PENI-FFARDDING FY NHAID

1 Mae 'na rai sydd yn hoffi trafeilio
Yn gyfforddus a swel mewn M.G.,
Mae rhai eraill yn dewis y bysus a'r trên
Ond mae'n llawer iawn gwell gennyf fi—

Cytgan:
Hen feic peni-ffardding fy nhaid,
Wel sticio at hwnnw sydd raid,
Bydd y dyrfa yn heidio i'm gweld i yn reidio
Hen feic peni-ffardding fy nhaid.

2 Aeth y trip Ysgol Sul rhyw ddiwrnod
Draw i Fangor am dro efo'r traen,
Ond er cysgu yn hwyr ni chynhyrfais i ddim,
A chyrhaeddais y ddinas o'u blaen.

Cytgan:
Ar hen feic peni-ffardding fy nhaid, etc.

3 Pan yn reidio ar spîd ryw ben bore
Fe ddaeth plismyn mewn car ar fy ôl,
Ond fe bedlais yn wallgo' â'm trwyn ar y bar,
A phan stopiais rown i yn y North Pôl.

Cytgan:
Ar hen feic peni-ffardding fy nhaid, etc.

4 Mi briodaf fel pob creadur gwirion
Os caf afael ar ferch fach gwerth chweil,
Ond ni chymraf run tacsi i'm cludo i'r llan,
Mi af yno fy hunan mewn steil.

Cytgan:
Ar hen feic peni-ffardding fy nhaid, etc.

58 PAM FOD EIRA'N WYN?

1 Pan fydd haul ar y mynydd,
Pan fydd gwynt ar y môr,
Pan fydd blodau yn y perthi,
A'r goedwig yn gôr;
Pan fydd dagrau f'anwylyd
Fel gwlith ar y gwawn,
Rwy'n gwybod bryd hynny,
Mai hyn sydd yn iawn,—

Cytgan:
Rwy'n gwybod beth yw rhyddid,
Rwy'n gwybod beth yw'r gwir,
Rwy'n gwybod beth yw cariad
At bobol ac at dir;
Felly peidiwch â gofyn eich cwestiynau dwl,
Peidiwch edrych arna i mor syn;
Dim ond ffŵl sydd yn gofyn
Pam fod eira'n wyn.

2 Pan fydd geiriau fy nghyfeillion
Yn felys fel y gwin,
A'r seiniau mwyn, cynefin,
Yn dawnsio ar eu min,
Pan fydd nodau hen alaw
Yn lleddfu fy nghlyw,
Rwy'n gwybod beth yw perthyn
Ac rwy'n gwybod beth yw byw!

3 Pan welaf graith y glöwr,
A'r gwaed ar y garreg las,
Pan welaf lle bu'r tyddynwr
Yn cribo gwair i'w das;
Pan welaf bren y gorthrwm
Am wddf y bachgen tlawd,
Rwy'n gwybod bod rhaid i minnau
Sefyll dros fy mrawd.

59 DWI ISIO BOD YN SAIS

1 Rwy'n byw mewn pentre bychan, yn rhywle yn y wlad,
Trin y tir oedd gwaith fy nhaid, a siopwr oedd fy nhad
Yn eu ffordd eu hunain roen nhw'n bobol ddigon neis,
Ond dwi am fynd un cam yn well—dwi isio bod yn Sais.

Dwi isio bod yn Sais, O, Dwi isio bod yn Sais.
Mae Cymru wedi cael ei dydd, Dwi isio bod yn Sais.

2 Fe hoffwn werthu'r pentre a'i droi yn wersyll haf,
Er mwyn i bobol Llundain gael dweud 'O dyma braf!'
Cael bingo yn y capel—a 'night club' yn y Llan,
Ac yn y bore hela'r llwynog fel Mark a Prinses Ann.

Dwi isio bod yn Sais, O, Dwi isio bod yn Sais.
I fynd i mewn i'r Cyntri Clyb,
Mae'n rhaid cael bod yn Sais.

3 Mae'r merched yma'n gomon, mae'r Dybliw Ai'n mynd lawr,
A phawb fel ffŵl yn heidio i ymuno â Merched y Wawr;
Un peth sy'n fy ngwylltio—creu helynt am yr iaith.
Mae un yn fwy na digon, ac yn llawer llai o waith.
Iaith Shelley a iaith Shakespeare, mae hon yn well na'r un,
Iaith Byron a iaith Benny Hill, Ted Heath, Alf Garnet a'r Cwin.

Dwi isio bod yn Sais, O, Dwi isio bod yn Sais,
A gyrru'r plant i Boarding School, Dwi isio bod yn Sais.

4 Mae fory'n ddiwrnod pwysig, ac O! mi fydd yma le,
Mae Syr Godfrey Herbert Williams-Wynne yn dod yma i de.
Rhyw ddiwrnod caf fy mreuddwyd, ni bydd yr un iaith ond un,
Fe fydd y Steddfod Genedlaethol yng ngofal Hughie Green.
Anghofir Pwyllgor Bowen, yr Urdd a Chymru'r Plant,
Ac yn lle Dydd Gŵyl Dewi, cawn Ddydd Gŵyl Jorji Sant.

Dwi isio bod yn Sais, O, Dwi isio bod yn Sais
Ac nid y fi di'r unig un sydd isio bod yn Sais.

Huw Jôns

60 CÂN Y MEDD

Ar alaw Dafydd Iwan

1 Yn y mynydd mae'r gerddinen,
Yn y mynydd mae'r eithinen
Yng nghwpanau'r grug a hwythau,
Haul ac awel dry yn ffrwythau.
  Awel iach, heulwen lon,
  Heulwen lon ac awel iach;
Delir rhinwedd haul ac awel
Yng nghwpanau'r blodau bach.

2 Prysur yno fydd yr hela
Pan ddaw'r gwenyn fil i fela,
Awel haf a haul cynhaeaf,
Mêl a fyddant cyn y gaeaf.
  Melyn fêl, melys fêl,
  Melys fêl, melyn fêl;
Haul ac awel yn y blodau
Wele'n felyn felys fêl.

3 Gwedi'r haf a'r hael gynhaeaf
Yn yr hendre hirnos gaeaf,
Wrth y tân yn sain y delyn
Melys fydd y meddlyn melyn;
  Melys fedd, melyn fedd,
  Melyn fedd, melys fedd;
Haul ac awel, mêl y blodau
Wele'n felyn felys fedd.

*T Gwynn Jones bia'r geiriau;
cyhoeddwyd nhw gyntaf gan Hughes a'i Fab, Wrecsam, yn y gyfrol, *Manion*.

61 BRETHYN CARTREF

1 Chi sy'n cofio 'Newyrth Dafydd,
  Patriarch y Felindre,
Rych chi'n cofio'n burion hefyd
  Am ei frethyn cartre;
Aeth ei gôt yn hen heb golli
  Dim o'r grân;
Roedd hi'n llwyd pan gas ei phannu:
Brethyn gwlân y defaid mân,
Dyna fel y gwisgai'r oes o'r blân.

Cytgan: Brethyn gwlân y defaid mân,
Dyna fel y gwisgai'r oes o'r blân.

2 Felly'r elai gynt i garu—
  Yn ei frethyn cartre,
Ac ar fore ei briodi
  Gyda Neli'r Hendre;
I ffair G'lamai a Chymanfa'n
  Ddi-wahân,
Run hen wisg a'r un hen Grefydd:
Brethyn gwlân y defaid mân,
Dyna fel y gwisgai'r oes o'r blân.

3 Gwelodd 'Newyrth lawer ffasiwn,
Do yn enw'r annwl,
Ond effeithiodd run ohonynt
Ddim ar ddillad 'Nwncwl:
Ni freuddwydiai am wisg newydd
Mwy na'r frân,
Run hen dorrad yn dragywydd:
Brethyn gwlân y defaid mân,
Dyna fel y gwisgai'r oes o'r blân.

4 Gwisg o liain main a derw
Sydd amdano heno,
Ac mae'r awel yn yr ywen
Dan yr hon mae'n huno:
Ond mae'r defaid eto'n pori
'Ngwlad y Gân,
Ac mae arnynt wlân yn tyfu:
Brethyn gwlân y defaid mân,
Dyna fel y gwisgai'r oes o'r blân.

62 MYFANWY

1 Paham mae dicter, O Myfanwy,
Yn llenwi'th lygaid duon di,
A'th ruddiau tirion, O Myfanwy,
Heb wrido wrth fy ngweled i?
Pa le mae'r wên oedd ar dy wefus
Fu'n cynnau 'nghariad ffyddlon, ffôl?
Pa le mae sain dy eiriau melys
Fu'n denu 'nghalon ar dy ôl?

2 Pa beth a wneuthum, O Myfanwy,
I haeddu gwg dy ddwyrudd hardd?
Ai chwarae oeddit, O Myfanwy,
Â thannau euraidd serch dy fardd?
Wyt eiddo im drwy gywir amod—
Ai gormod cadw'th air i mi?
Ni cheisiaf fyth mo'th law, Myfanwy,
Heb gael dy galon gyda hi.

3 Myfanwy, boed dy holl o'th fywyd
Dan heulwen ddisglair canol dydd,
A boed i rosyn gwridog ienctid
Ddawnsio ganwaith ar dy rudd.
Anghofiais oll o'th addewidion
A wnest i rywun, 'ngeneth ddel,
A rho dy law, Myfanwy dirion,
I ddim ond dweud y gair, Ffarwel.

Ceiriog

63 Y DREF WEN

1 Y Dref Wen yn y dyffryn
Heno heb arf nac offeryn;
Ar wyneb y gwellt gwêl y gwaed
A drodd y pridd yn llaid.

Cytgan:
Ond awn i ail adfer bro,
Awn i ail godi'r to,
Ail oleuwn y tŷ—
Pwy a saif gyda ni?

2 Y Dref Wen chwâl ei meini
Heno'n brudd yn ei hoerni,
Ddaeth 'na neb i holi pam
Mai marw yw'r fflam.

3 Y Dref Wen wrth y coed,
Hiraeth am gadw oed,
Ciliodd pawb o'r hyfryd fro,
'Stafell Cynddylan sydd dan glo.

Tecwyn Ifan

64 Y WÊN NA PHYLA AMSER

1 Roedd hwn mor rhydd â'r awel
Yng nghoedwig Esgairgeir,
Yr awel sydd yn chwythu lle y myn,
Ni fedrodd muriau carchar
Gaethiwo'r galon fawr,
Y galon sydd yn curo dan yr ynn.

Cytgan:
Y wên na phyla amser,
Y fflam na ddiffydd byth,
Mae'r gŵr o Rydcymerau'n fyw i ni;
Y wên na phyla amser,
Y fflam na ddiffydd byth
Mae'r gŵr o Rydcymerau'n fyw i ni;

2 Fe welodd hwn ryfeddod
A hud ei filltir sgwâr,
Adroddodd inni chwedlau llon ei hil,
Dangosodd i ni fawredd
Gwerin yr erwau gwâr,
Rhoes gip i ni ar ryddid yn ei sgîl.

3 O rho i ni gyfrinach
Y weledigaeth fawr,
Rho golsyn bach o'r tân a lysg mor lân,
Fel y gallwn ninnau gredu
Fel y credaist ti
A gweled rhyfeddodau'r pethau mân.

Dafydd Iwan

65 DEFAID WILLIAM MORGAN

1 Mae rhywbeth bach yn poeni pawb
Nid yw yn nef ym mhobman,
Yr hyn sy'n poeni'r ardal hon
Yw defaid William Morgan.

2 Waeth heb na phlannu nionod bach
Na letys na chybatsan,
Chaiff neb eu profi, dyna'r gwir
Ond defaid William Morgan.

3 Does obaith i'r friallen fach
Gael estyn ei phen allan,
Arswyda'r daffodil yn sŵn
Traed defaid William Morgan.

4 Y maent fel plant heb dad na mam
Na chartref chwaith yn unman,
Cardota'u bwyd o ddrws i ddrws
Wna defaid William Morgan.

5 Does arnynt ofn na dyn na chi
Na motorcar na phlisman,
A thrawsfeddiannu tyddyn pawb
Mae defaid William Morgan.

6 O! maent yn gall a'u pennau'n gam
A'u 'leader' yw'r maharan',
Ac er eu gwerthu, dod yn ôl
Mae defaid William Morgan.

7 Mae'r haf yn ymyl, diolch byth,
Cânt fynd i ben Moel Faban,
A chawn ymwared am ryw bryd
Â defaid William Morgan.

66 I'R GAD

1 Mae'r Cymry wedi gwylltio,
A'u hysbryd sydd ar dân;
Pob tafod wedi tewi,
A'r arfau'n finiog lân,
A'r arfau'n finiog lân.

Cytgan:
I'r Gad! I'r Gad!
Dewch Gymry hen ac ifanc,
Dewch i'r Gad!

2 Syrffedwyd ar fân siarad,
Pwyllgorau sâff di-ri;
Nid malu awyr mwyach,
Ond malu seins y'm ni,
Ie, malu seins y'm ni.

3 Fe heriwn bob awdurdod,
Wynebwn gosb a thrais;
Sylfeini'r drefn a grynant, bois,
Pan godwn ni ein llais,
Pan godwn ni ein llais.

4 Sdim digon yn y fyddin
I gwblhau y gwaith;
A godwch chwi o'ch hawddfyd clyd
I gerdded ar y daith?
I gerdded i ben y daith?

(Cytgan 3 gwaith)

Hefin Elis

67 LLONGAU CAERNARFON

1 Mae'r holl longau wrth y cei yn llwytho;
Pam na cha' i fynd fel pawb i forio?
Dacw dair yn dechrau warpio
Ac am hwylio heno;
Byrcined, Bordô a Wiclo.
Toc daw'r stemar bach i'w towio,
Golau gwyrdd ar waliau wrth fynd heibio.

2 Pedair llong wrth angor yn yr afon;
Aros teit i fynd dan gastell C'narfon,
Dacw bedwar golau melyn
A rhyw gwch ar gychwyn;
Clywed sŵn y rhwyfau wedyn.
Toc daw'r stemar bach i dowio;
Golau coch ar waliau wrth fynd heibio.

3 Llongau'n hwylio draw a llongau'n canlyn,
Heddiw, fory ac yfory wedyn.
Mynd â'u llwyth o lechi gleision
Dan eu hwyliau gwynion,
Rhai i Ffrainc a rhai i Werddon:
O na chawn i fynd ar f'union
Dros y môr a hwylio'n ôl i G'narfon.

4 Holaf ym mhob llong ar hyd yr harbwr,
Oes 'na le i hogyn fynd yn llongwr
A chael splensio rhaff a rhiffio
A chael dysgu llywio
A chael mynd mewn cwch i sgwlio.
O na chawn i fynd yn llongwr,
A'r holl longau'n llwytho yn yr harbwr.

68 NOS GALAN

1 Oer yw'r gŵr sy'n methu caru
Ffal, la la la la la la la la
Hen fynyddoedd annwyl Cymru
Ffal, la la la la la la la la
Iddo ef a'u câr gynhesaf
Ffal, la la la la la la la la
Gwyliau llawen flwyddyn nesaf
Ffal, la la la la la la la la

2 I'r helbulus oer yw'r biliau
Ffal, la la etc
Sydd yn dyfod yn y Gwyliau
Ffal, la la etc
Gwrando bregeth mewn un pennill
Ffal, la la etc
Byth na waria fwy na'th ennill
Ffal, la la etc.

3 Oer yw'r eira ar Eryri,
Ffal, la la etc.
Er bod gwrthban gwlanen arni,
Ffal, la la etc.
Oer yw'r bobol na ofalan',
Ffal, la la etc.
Gwrdd â'i gilydd ar Nos Calan!
Ffal, la la etc.

69 CARU

1 Pan yr es i gynta i garu
Rown i'n ofni cwrdd â bwci,
Ond pan ges i gwrdd â Gwenno,
Fe aeth Nic a'r bwci'n ango.
  Lili Lon, gron ei grân,
  Lili Lon, gron ei grân,
Os ca i ffeirad, 'nôl fy mwriad,
  Af â nghariad bach o'i flân.

2 Bûm yn caru merch i gobler,
Do, am bedair awr a hanner.
Ac yn siŵr gadewais honno
Wath i bod hi'n cnoi tybaco.
  Lili Lon, etc.

3 Maent hwy'n dweud yn Aberteifi,
Mod i'n caru Catw Gardi,
Minnau waeddaf nerth fy nghegen
Nad wy'n nabod yr hen sopen.
  Lili Lon, etc.

4 Bûm yn caru rhyw nos Wener
Dan y faril yn y seler,
Ac yn wir mi garwn eto
Gyfeillachu peth â honno.
  Lili Lon, etc.

70 GWNEWCH BOPETH YN GYMRAEG

1 Os Cymry annwyl ydych
Na wadwch byth mo'ch iaith,
Er mynd i wlad yr estron
Neu groesi moroedd maith;
Os holir chwi yn Saesneg—
Yn Lladin neu'r Hebraeg,
Gofalwch, doed a ddelo,
Am ateb yn Gymraeg:

Cytgan: Siaradwch yn Gymraeg
A chanwch yn Gymraeg,
Beth bynnag f'och chwi'n wneuthur
Gwnewch bopeth yn Gymraeg.

2 Pan f'och chwi wedi blino
Gan lafur maith y dydd,
A'r heulwen wrth fachludo
Yn gollwng pawb yn rhydd;
Adroddwch eich blinderau
Yng ngeiriau'r Omeraeg,
A phan yr ewch i gysgu
Wel cysgwch yn Gymraeg:

3 Pan fyddo rhyw sirioldeb
Yn ysgafnhau eich bron,
A gwenau ar eich wyneb
Â'r galon fach yn llon;
Addurnwch eich llawenydd
Â gwisg yr Omeraeg,
A phan yr ewch i chwerthin,
Wel chwarddwch yn Gymraeg:

4 Os gwelwch eneth dirion
Yn mynd â serch eich bron,
Os teimlwch chwant rhoi'ch calon
Am galon dyner hon;
Rhowch dafod i'ch serchiadau
Yn seiniau yr hen aeg,
Ac os byth y rhowch chwi gusan,
Rhowch gusan yn Gymraeg:

5 Os ewch chwi dros Glawdd Offa
I fyw at Siôn y Sais,
Mae'n siŵr o geisio'ch denu
Ond peidiwch gwrando'i gais;
Ewch heibio'r capel saesneg
A chofiwch yr hen aeg,
Yn sŵn addoli'r saeson
Addolwch yn Gymraeg:

71 SOSBAN FACH

1 Mae bys Meri Ann wedi brifo,
A Dafydd y gwas ddim yn iach;
Mae'r baban yn y crud yn crio
A'r gath wedi sgrapo Joni bach.

Cytgan:
Sosban fach yn berwi ar y tân,
Sosban fawr yn berwi ar y llawr
A'r gath wedi crafu Joni bach.

Dai Bach y Sowldiwr (3 gwaith)
A chwt 'i grys e mas.

2 Mae bys Meri Ann wedi gwella,
A Dafydd y gwas yn ei fedd;
Mae'r babi yn y crud wedi tyfu
A'r gath wedi huno mewn hedd.

72 Y GWCW

1 Wrth ddychwel tuag adref
  Mi welais gwcw lon,
Oedd newydd groesi'r moroedd
  I'r ynys fechan hon.

Cytgan:
So, la, ti: Holiati-hia, holia-cw-cw,
  Holiati-hia, holia-cw-cw,
  Holiati-hia, holia-cw-cw,
  Holiati-hia-hoi.

2 A chwcw gynta'r tymor
  A ganai yn y coed,
Run fath â'r gwcw gynta
  A ganodd gynta rioed.

Cytgan: Holiati-hia, etc.

3 Mi drois yn ôl i chwilio
  Y glasgoed yn y llwyn,
I edrych rhwng y brigau
  Ble roedd y deryn mwyn.

Cytgan: Holiati-hia, etc.

4 Fe gerddais nes dychwelais
  O dan y fedw bren,
Ac yno roedd y gwcw
  Yn canu uwch fy mhen.

Cytgan: Holiati-hia, etc.

5 O diolch i ti gwcw
  Ein bod ni yma'n cwrdd,
Fe sychais i fy llygaid
  A'r gwcw aeth i ffwrdd.

Cytgan: Holiati-hia, etc.

73 MARWNAD YR EHEDYDD

1 Mi a glywais fod yr hedydd,
Wedi marw ar y mynydd;
Pe gwyddwn i mai gwir y geirie,
Awn â gyr o wŷr ac arfe,
I gyrchu corff yr hedydd adre.

2 Mi a glywais fod yr hebog
Eto'n fynych uwch y fawnog,
A bod ei galon a'i adenydd
Wrth fynd heibio i gorff yr hedydd
Yn curo'n llwfr fel calon llofrudd.

3 Mi a glywais fod cornchwiglen
Yn ei ddychryn i ffwrdd o'r siglen
Ac na chaiff, er dianc rhagddi,
Wedi'i rhusio o dan y drysi,
Ond aderyn y bwn i'w boeni.

4 Mi a glywais gan y wennol
Fod y tylwyth teg yn 'morol
Am arch i'r hedydd bach o risial,
Ac am amdo o'r pren afal,
Piti fâi dwyn pob petal.

5 Cans er dod â byddin arfog
Ac er codi braw ar yr hebog
Ac er grisial ac er blode,
Er yr holl dylwyth teg a'u donie,
Ni ddaw cân yr hedydd adre.

74 BONHEDDWR MAWR O'R BALA

1 Bonheddwr mawr o'r Bala
Rhyw ddiwrnod aeth i hela,
Ar gaseg denau ddu,
Ar gaseg denau ddu.

Cytgan: Ha! ha! ha! ha! ha!
Ha! ha! ha! ha! ha!
Ar gaseg denau ddu.

2 Carlamodd yr hen gaseg
O naw o'r gloch tan ddeuddeg,
Heb unwaith godi pry'
Heb unwaith godi pry'.

3 O'r diwedd cododd lwynog
Yn ymyl tŷ cymydog
A'r corn a roddodd floedd
A'r corn a roddodd floedd.

4 Yr holl fytheid redasant
A'r llwynog coch ddaliasant,
Ond ci rhyw ffermwr oedd,
Ond ci rhyw ffermwr oedd.

5 Wrth fynd yn ôl o'r hela
Daeth y bonheddwr tila
I groesi hen bont bren,
I groesi hen bont bren.

6 Ond chana'i ddim ychwaneg,
Fe syrthiodd efo'i gaseg
I'r afon tros ei ben,
I'r afon tros ei ben.

75 BRYNIAU BRO AFALLON

1 Ar fryniau Bro Afallon
   Mae pawb yn byw yn hen,
Does neb yn colli'i dymer
   Ac mae gwg run fath â gwên,
Mae'n haf ar hyd y flwyddyn
A Nadolig bob yn ail ddydd Iau.

Cytgan 1:
O bois rhaid mynd am dro
I'r nefolaidd fro
Lle mae'r merched, O! mor hardd
I ddenu calon bardd—
Ar fryniau bro Afallon.

Cytgan 2:
O mae'r ieir bach yr ha'
A'r blodau yn bla
   A CHWRW yw dŵr pob afon;
Does 'na neb yn y jêl
O mae bywyd yn fêl
   Ar fryniau bro Afallon.

2 Ar fryniau Bro Afallon
   Mae pawb yn siarad Cymraeg,
"Llythyrdy" ar ddrws pob Swyddfa Bost,
   Does dim sôn am Dafod y Ddraig.
Mae'r enwade i gyd wedi uno
A'r siope'n gwerthu popeth am ddim.

3 Ar fryniau Bro Afallon
   Mae pawb yn rhoi pleidlais i'r Blaid,
Llafur yn colli deposits o hyd
   A'r Toriaid yn llyfu'r llaid.
Mae'r Steddfod yn para am fisoedd
A deng noson lawen bob nos.

4 Ar fryniau Bro Afallon
  Mae Leo Abse yn sgubo'r stryd,
Goronwy yn gweithio'n y chwarel
  A Cledwyn yn gwneud dim byd;
Donelly yn dal i falu awyr
Ac Elystan wedi dod yn ôl.

Dafydd Iwan

76 BUGEILIO'R GWENITH GWYN

1 Mi sydd fachgen ieuanc ffôl
  Yn byw yn ôl fy ffansi,
Myfi'n bugeilio'r gwenith gwyn
  Ac arall yn ei fedi;
Pam na ddeui ar fy ôl
  Ryw ddydd ar ôl ei gilydd?
Gwaith rwy'n dy weld y feinir fach
  Yn lanach, lanach beunydd.

2 Glanach, glanach wyt bod dydd
  Neu fi sy â'm ffydd yn ffolach,
Er mwyn y gŵr a wnaeth dy wedd
  Gwna im drugaredd bellach;
Cwn dy ben, gwêl acw draw,
  Rho imi'th law wen, dirion,
Gwaith yn dy fynwes bert ei thro
  Mae allwedd clo fy nghalon.

3 Tra bo dŵr y môr yn hallt
  A thra bo 'ngwallt yn tyfu,
A thra bo calon yn fy mron
  Mi fydda'n ffyddlon iti;
Dywed imi'r gwir heb gêl
  A rho dan sêl d'atebion,
P'un ai myfi neu arall, Gwen,
  Sydd orau gen dy galon.

77 COFIO DY WYNEB

1 Rwy'n cofio gweld y lleuad
Yn wyn fel yr haul
A'r tywod fel eira yn y golau;
Roedd dy law di yn fy llaw i'n oer
A'th drwyn di fel trwyn escimo,
Ond dyma rwy'n cofio orau:

Cytgan:
Rwy'n cofio dy wyneb
Yn edrych ar fy wyneb,
Dy lygaid yn edrych i fy llygaid,
Dy law ar fy ysgwydd
A'th galon ym mhoced cesail fy nghôt.

2 Dyw Benllech ddim yn nefoedd
'Nenwedig yn yr haf
Ond roedd dy gwmni di yn ei wella;
Ond 'chydig a wyddwn i
Fod y tywydd ar droi
A mod i ar fin dy golli.

Cytgan:
Ond rwy'n cofio dy wyneb...

3 Nid af i Benllech eto
Mae'r haf wedi mynd
A'r ceir yn mynd yn ôl dros Bont Menai;
Gadael a wnaethost ti
A gwn na ddoi di byth yn ôl,
Ond eto pan ddaw'r haf, mi fydda i...

Cytgan:
Yn cofio dy wyneb...

Emyr Huws Jones

78 HI YW FY FFRIND

1 Pe gallwn fod
Yn rhywun ond yr hyn a welwch chi,
Nid awn i byth i unman heb ei chofio hi
Allwn i ddim byw hebddi hi.
Petawn i'n dweud
Na allwn fyw munud heb ei chwmni hi,
Tybed fyddech chi yn fy nghoelio i?
Fyddwn i yn ddim hebddi hi.

Hi yw fy ffrind—
Hi yw'r unig un sy'n gwneud
Fy mywyd i yn werth ei fyw,
Hi yw'r unig un
Sy'n driw i mi bob amser;
Hi yw fy ffrind.

Bob dydd mi fydda i'n meddwl amdani hi
Ac mae 'nghalon yn teimlo'n well;
Rwyf yn ei charu pan fydda i gyda hi
Ac yn ei cholli pan fydda i 'mhell.

2 Mae'i gwallt fel aur
A'i llygaid yn las fel awyr haf,
Ei gwên fel yr haul ar ddiwrnod braf
Ac mae blas ei chusan fel gwin;
Rwy'n ei charu hi
Ac mae hithau yn fy ngharu i
A 'dawn i byth i unman heb ei chwmni hi,
Allwn i ddim byw hebddi hi.

Hi yw fy ffrind—
Hi yw'r unig un sy'n gwneud
Fy mywyd i yn werth ei fyw,
Hi yw'r unig un
Sy'n driw i mi bob amser;
Hi yw fy ffrind.

Emyr Huws Jones

79 YN HARBWR CORC

1 Yn Harbwr Corc yr oeddwn, ryw fore gyda'r dydd,
Gyda'r dydd,
O hogie bach, ryw fore gyda'r dydd,
A phawb oedd yno'n llawen, doedd yno neb yn brudd,
Neb yn brudd,
O hogie bach, doedd yno neb yn brudd.

2 "O Rhisiart," medde Morus, "a Morus," medde Twm,
Medde Twm,
"O hogie bach, a Morus," medde Twm;
"Well inni riffio'r hwylie, cyn dêl y tywydd trwm,
Tywydd trwm,
O hogie bach, cyn dêl y tywydd trwm."

3 "O Twm co bach a Morus, mae'n bygwth gwynt a glaw,
Gwynt a glaw,
O hogie bach, mae'n bygwth gwynt a glaw;"
Daw'r cesyg gwynion allan—a Twm yn ateb "Taw,"
Ateb "Taw,"
O hogie bach, a Twm yn ateb "Taw".

4 Daw'r gwynt yn ôl i'r gogledd, cawn eto dywydd teg,
Tywydd teg,
O hogie bach, cawn eto dywydd teg;
A bydd y llong yn cerdded, ag asgwrn yn ei cheg,
Yn ei cheg,
O hogie bach, ag asgwrn yn ei cheg.

80 HOGIA NI

1 Hogia ni; hogia ni;
Dydi'r sgwâr ddim digon mawr
I'n hogia ni;
Mae y Saeson wedi methu
Torri calon hogia Cymru;
Dydi'r sgwâr ddim digon mawr
I'n hogia ni.

2 Genod ni; genod ni;
Dydi'r Sais ddim digon da
I'n genod ni;
Mae y Saeson wedi methu
Denu calon genod Cymru;
Dydi'r Sais ddim digon da
I'n genod ni.

81 COC Y GATH

Tôn: Calon Lân

1 Nid wy'n gofyn bywyd moethus
Ond rwy'n cael un jest 'run fath;
Yma'n gweithio i'r Cyvryngau
Mae pob dim yn Goc y Gath.

Cytgan:
Coc y Gath yw'r Licwid Lynshis
Coc y Gath yw'r Seshus Mawr
Coc y Gath yw pob Ecspensus
Coc y Gath yw popeth nawr.

2 Pe dymunwn olud bydol
Llifo mae fel mêl a llath;
Pwy sy' moyn bod yn weinidog
Mae'r cyvryngau'n Goc y Gath.

82 TI A DY DDONIAU

1 O ble gest ti'r ddawn o dorri calone?
O ble gest ti'r ddawn o ddweud y celwydde?
Ac o ble gest ti'r wên a'r ddau lygad bach tyner?
Ac o ble gest ti'r tinc yn dy lais?
Os mai hyn oedd dy fwriad, i'm gwneud i yn ffŵl,
Wel, do, mi lwyddaist, mi lwyddaist yn llawn.
Ond yr hyn rwyf am wybod yn awr,
Dwed i mi, o dwed i mi, ble gest ti'r ddawn?

2 Rwy'n cofio fel ddoe ti yn dweud 'cara fi'n awr,'
A minnau yn ateb fel hyn, 'caraf di'n awr,'
Ond mae ddoe wedi mynd a daeth heddiw yn greulon,
Ac o ble, ac o ble, ble rwyt ti?
Os mai hyn oedd dy fwriad, i'm gwneud i yn ffŵl,
Wel, do mi lwyddaist, mi lwyddaist yn llawn.
Ond yr hyn rwyf am wybod yn awr,
Dwed i mi, o dwed i mi, ble gest ti'r ddawn?
Ble gest ti'r ddawn? Ble gest ti'r ddawn?

Ryan Davies

83 YMA O HYD

1 Dwyt ti'm yn cofio Macsen,
Does neb yn ei nabod o,
Mae mil a chwe chant o flynyddoedd,
Yn amser rhy hir i'r co'.
Ond aeth Magnus Maximus o Gymru
Yn y flwyddyn tri chant wyth tri,
A'n gadael yn genedl gyfan
A heddiw, wele ni!

Cytgan:
Ry'n ni yma o hyd!
Ry'n ni yma o hyd!
Er gwaetha pawb a phopeth,
Er gwaetha pawb a phopeth,
Er gwaetha pawb a phopeth
Ry'n ni yma o hyd.

2 Chwythed y gwynt o'r Dwyrain,
Rhued y storm o'r môr,
Hollted y mellt yr wybren
A gwaedded y daran encôr,
Llifed dagrau'r gwangalon
A llyfed y taeog y llawr,
Er dued y fagddu o'n cwmpas,
Ry'n ni'n barod am doriad y wawr!

3 Cofiwn i Facsen Wledig
Adael ein Gwlad yn un darn
A bloeddiwn gerbron y gwledydd,
'Byddwn yma hyd Ddydd y Farn!'
Er gwaetha pob Dic Siôn Dafydd,
Er gwaetha 'rhen Fagi a'i chriw,
Byddwn yma hyd ddiwedd amser
A bydd yr iaith Gymraeg yn fyw!

Dafydd Iwan

84 CERDDWN YMLAEN

1 Bu'r Cymro yn cerdded y llwybrau cynefin drwy'r oesau
Yn crafu bywoliaeth ddigysur o gaenen o bridd,
Yn gwarchod ei fwthyn wrth warchod y noethlymun erwau
Wrth ganlyn yr arad a dilyn yr og ar y ffridd,
Dringodd y creigiau a holltodd y llechfaen yn gywrain,
Turiodd i grombil y ddaear i geibio'r glo,
Gwnaeth gyfoeth i eraill a gwelodd gyfeillion yn gelain,
A chyfoeth hen ffydd a hen eiriau oedd ei gyfoeth o.

Cytgan:
Ond cerddwn ymlaen,
Cerddwn drwy ddŵr a thân,
Cerddwn a ffydd yn ein cân
Ymlaen—cerddwn ymlaen.

2 Bu farw Llywelyn, Llyw Olaf y Cymry 'Nghilmeri,
Saith canrif yn ôl ar yr eira diferodd ei waed,
Ar bicell fe gariwyd ei ben ar hyd heolydd Llundain
A'r dorf yn crochlefain i ddathlu'r fuddugoliaeth a gaed;
Saith canrif o ormes caethiwed a gafwyd ers hynny,
Saith canrif o frwydro a diodde dan gyfraith y Sais,
Ond er dichell pob bradwr a chynllwyn pob taeog a chachgi,
Mae'r Cymry ar gerdded, a'r bobol yn codi eu llais.

Dafydd Iwan

EMYNAU

85 GLÂN GERIWBIAID A SERAFFIAID

(Tôn: Sanctus)

1 Glân geriwbiaid a seraffiaid,
Fyrdd o gylch yr orsedd fry,
Mewn olynol seiniau dibaid,
Canan fawl eu Harglwydd cu:
"Llawn yw'r nefoedd o'th ogoniant,
Llawn yw'r ddaear, dir a môr;
Rhodder iti fythol foliant,
Sanctaidd, sanctaidd, sanctaidd Iôr!"

2 Fyth y nef a chwydda'r moliant;
Uwch yr etyb daear fyth—
"Sanctaidd, sanctaidd, sanctaidd!" meddant,
"Dduw y lluoedd, Nêr di-lyth!
Llawn yw'r nefoedd o'th ogoniant,
Llawn yw'r ddaear, dir a môr;
Rhodder iti fythol foliant,
Sanctaidd, sanctaidd, sanctaidd Iôr!"

3 Gyda'r seraff gôr i fyny,
Gyda'r Eglwys lân i lawr,
Uno wnawn fel hyn i ganu
Anthem clod ein Harglwydd mawr:
"Llawn yw'r nefoedd o'th ogoniant,
Llawn yw'r ddaear, dir a môr
Rhodder iti fythol foliant,
Sanctaidd, sanctaidd, sanctaidd Iôr!"

86 BENDIGEDIG FYDDO'R IESU

(Tôn: Mawlgan)

1 Bendigedig fyddo'r Iesu,
  Yr Hwn sydd yn ein caru,
Ein galw o'r byd a'n prynu,
  Ac yn ei waed ein golchi,
Yn eiddo iddo'i Hun.

Cytgan: Haleliwia,
  Moliant iddo byth, Amen.

2 Bendigedig fyddo'r Iesu!
  Yr Hwn sydd iddo'n credu
A gaiff ei ras i'w nerthu;
  Mae'r Hwn sydd yn gwaredu
Yn aros fyth yr un.

3 Bendigedig fyddo'r Iesu!
  Fe welir ei ddyweddi
Heb un brycheuyn arni
  Yn lân fel y goleuni,
Ar ddelw Mab y Dyn.

Elfed

87 ARGLWYDD IESU, ARWAIN F'ENAID

(Tôn: In Memoriam)

1 Arglwydd Iesu, arwain f'enaid
At y Graig sydd uwch na mi,
Graig safadwy mewn tymhestloedd,
Craig a ddeil yng ngrym y lli;
Llechu wnaf yng Nghraig yr Oesoedd,
Deued dilyw, deued tân,
A phan chwala'r greadigaeth,
Craig yr Oesoedd fydd fy nghân.

2 Pan fo creigiau'r byd yn rhwygo
Yn rhyferthwy'r farn a ddaw,
Stormydd creulon arna' i'n curo,
Cedyrn fyrdd o'm cylch mewn braw;
Craig yr Oesoedd ddeil pryd hynny,
Yn y dyfroedd, yn y tân:
Draw ar gefnfor tragwyddoldeb
Craig yr Oesoedd fydd fy nghân.

88 ARGLWYDD, DYMA FI

1 Mi glywaf dyner lais
Yn galw arnaf fi,
I ddod a golchi 'meiau i gyd
Yn afon Calfari.

Cytgan: Arglwydd dyma fi,
Ar dy alwad Di;
Canna f'enaid yn y gwaed
A gaed ar Galfari.

2 Yr Iesu sy'n fy ngwadd
I dderbyn gyda'i saint
Ffydd, gobaith, cariad pur, a hedd
A phob rhyw nefol fraint.

3 Yr Iesu sy'n cryfhau
O'm mewn ei waith trwy ras;
Mae'n rhoddi nerth i'm henaid gwan
I faeddu 'mhechod cas.

4 Gogoniant byth am drefn
Y cymod a'r glanhad:
Derbyniaf Iesu fel yr wyf,
A chanaf am y gwaed.

89 RWY'N GWELD O BELL

(Tôn: Pembroke)

1 Rwy'n gweld o bell y dydd yn dod,
Bydd pob cyfandir is y rhod
Yn eiddo Iesu mawr;
A holl ynysoedd maith y môr
Yn cyd-ddyrchafu mawl yr Iôr,
Dros wyneb daear lawr.

2 Mae teg oleuni blaen y wawr
O wlad i wlad yn dweud yn awr
Fod bore ddydd gerllaw;
Mae pen y bryniau'n llawenhau,
Wrth weld yr haul yn agosáu,
A'r nos yn cilio draw.

90 WELE, CAWSOM Y MESEIA

(Tôn: Wyddgrug)

1 Wele, cawsom y Meseia,
Cyfaill gwerthfawroca' 'rioed;
Darfu i Moses a'r proffwydi
Ddweud amdano cyn ei ddod:
Iesu yw, gwir Fab Duw,
Ffrind a Phrynwr dynol-ryw.

2 Dyma Gyfaill haedda'i garu,
A'i glodfori'n fwy nag un:
Prynu'n bywyd, talu'n dyled,
A'n glanhau â'i waed ei Hun:
Frodyr, dewch, llawenhewch,
Diolchwch iddo, byth na thewch!

91 CALON LÂN

1 Nid wy'n gofyn bywyd moethus
Aur y byd na'i berlau mân;
Gofyn rwyf am galon hapus,
Calon onest, calon lân.

Cytgan:
Calon lân yn llawn daioni,
Tecach yw na'r lili dlos,
Dim ond calon lân all ganu,
Canu'r dydd a chanu'r nos.

2 Pe dymunwn olud bydol,
Chwim adenydd iddo sydd;
Golud calon lân rinweddol
Yn dwyn bythol elw fydd.

3 Hwyr a bore fy nymuniad;
Esgyn ar adenydd cân,
Ar i Dduw er mwyn fy Ngheidwad,
Roddi imi galon lân.

92 I BOB UN SY'N FFYDDLON

1 I bob un sy'n ffyddlon,
Dan ei faner Ef,
Mae gan Iesu goron fry
Yn nheyrnas nef.
Lluoedd Duw a Satan
Sydd yn cwrdd yn awr;
Mae gan blant eu cyfran
Yn y rhyfel mawr.

Cytgan:
I bob un sy'n ffyddlon,
Dan ei faner Ef,
Mae gan Iesu goron fry
Yn nheyrnas nef.

2 Meddwdod fel Goliath,
Heria ddyn a Duw:
Myrdd a myrdd garchara,
Gan mor feiddgar yw;
Brodyr a chwiorydd
Sy'n ei gastell prudd;
Rhaid yw chwalu'i geyrydd,
Rhaid cael pawb yn rhydd.

3 Awn i gwrdd â'r gelyn,
Bawb ag arfau glân;
Uffern sydd i'n herbyn
A'i phicellau tân.
Gwasgwn yn y rhengau,
Ac edrychwn fry;
Concrwr byd ac angau
Acw sydd o'n tu.

LLEF

1 O Iesu mawr! rho d'anian bur
I eiddil gwan mewn anial dir,
I'w nerthu drwy'r holl rwystrau sy'
Ar ddyrys daith i'r Ganaan fry.

2 Pob gras sydd yn yr Eglwys fawr,
Fry yn y nef, neu ar y llawr,
Caf feddu'r oll—eu meddu'n un,
Wrth feddu D'anian Di Dy Hun.

3 Mi lyna'n dawel wrth Dy draed,
Mi ganaf am rinweddau'r gwaed,
Mi garia'r groes, mi nofia'r don,
Ond cael Dy anian dan fy mron.

94 PANTYFEDWEN

1 Tydi a wnaeth y wyrth, O Grist, Fab Duw,
Tydi a roddaist imi flas ar fyw;
Fe gydiaist ynof trwy dy Ysbryd Glân,
Ni allaf, tra bwyf byw, ond canu'r gân:
Rwyf heddiw'n gweld yr harddwch sy'n parhau,
Rwy'n teimlo'r dwyfol ras sy'n bywiocau;
Mae'r Haleliwia yn fy enaid i
A rhoddaf Iesu, fy mawrhad i Ti.

2 Tydi yw Haul fy nydd, O Grist y Groes:
Yr wyt yn harddu holl orwelion f'oes;
Lle'r oedd cysgodion nos mae llif y wawr,
Lle'r oeddwn gynt yn ddall, rwy'n gweld yn awr;
Mae golau imi yn dy Berson hael,
Penllanw fy ngorfoledd yw dy gael;
Mae'r Haleliwia yn fy enaid i
A rhoddaf Iesu, fy mawrhad i Ti.

3 Tydi sy'n haeddu'r clod, Ddihalog un,
Mae ysytyr bywyd ynot Ti dy Hun;
Yr wyt yn llanw'r gwacter trwy dy Air,
Daw'r pell yn agos ynot, O Fab Mair;
Mae melodïau'r cread er dy fwyn,
Mi welaf dy ogoniant ar bob twyn;
Mae'r Haleliwia yn fy enaid i
A rhoddaf Iesu, fy mawrhad i Ti.

95 O, LLEFARA ADDFWYN IESU

(Tôn: Hyfrydol)

1 O! llefara, addfwyn Iesu:
Mae dy eiriau fel y gwin,
Oll yn dwyn i mewn dangnefedd
Ag sydd o anfeidrol rin;
Mae holl leisiau'r greadigaeth,
Holl ddeniadau cnawd a byd,
Wrth dy lais hyfrytaf tawel,
Yn distewi a mynd yn fud.

2 Ni all holl hyfrydwch natur,
A'i melystra penna'i maes,
Fyth gymharu â lleferydd
Hyfryd pur maddeuol ras:
Gad im glywed sŵn dy eiriau,
Awdurdodol eiriau'r nef,
Oddi mewn yn creu hyfrydwch
Nad oes mo'i gyffelyb ef.

3 Dwed dy fod yn eiddo imi,
Mewn llythrennau eglur clir;
Tor amheuaeth sych, digysur,
Tywyll, dyrys, cyn bo hir;
Rwy'n hiraethu am gael clywed
Un o eiriau pur y ne',
Nes bod ofon du a thristwch
Yn tragwyddol golli eu lle.

William Williams

96 DECHRAU CANU, DECHRAU CANMOL

(Tôn: Y Delyn Aur)

1 Dechrau canu, dechrau canmol
(Ymhen mil o filoedd maith)
Iesu, bydd y pererinion
Hyfryd draw ar ben eu taith;
Ni cheir diwedd
Byth ar sŵn y delyn aur.

2 Nid oes yno ddiwedd canu,
Nid oes yno ddiwedd clod,
Nid oes yno ddiwedd cofio
Pob cystuddiau a fu'n bod;
Byth ni dderfydd
Canmol Duw yn nhŷ fy Nhad.

97 I GALFARIA TROF FY WYNEB

(Tôn: Nant-Gau)

1 I Galfaria trof fy wyneb—
  Ar Galfaria gwyn fy myd!
Y mae gras ac anfarwoldeb
  Yn diferu drosto'i gyd:
    Pen Calfaria,
  Yno f'enaid gwna dy nyth.

2 Yno clywaf, gyda'r awel,
  Gerddi'r nef yn dod i lawr,
Ddysgwyd wrth afonydd Babel
  Gynt yng ngwlad y cystudd mawr:
    Pen Calfaria
  Gydia'r ddaear wrth y nef.

3 Dringo'r mynydd ar fy ngliniau
  Geisiaf, heb ddiffygio byth:
Tremiaf trwy gawodydd dagrau
  Ar y groes yn union syth:
    Pen Calfaria
  Dry fy nagrau'n ffrwd o hedd.

98 DROS GYMRU'N GWLAD

(Tôn: Finlandia)

1 Dros Gymru'n gwlad, O! Dad, dyrchafwn gri,
Y winllan wen a roed i'n gofal ni;
D'amddiffyn cryf a'i cadwo'n ffyddlon byth,
A boed i'r gwir a'r glân gael ynddi nyth;
Er mwyn dy Fab a'i prynodd iddo'i hun,
O! crea hi yn Gymru ar dy lun.

2 O! deued dydd pan fo awelon Duw
Yn chwythu eto dros ein herwau gwyw,
A'r crindir cras dan ras cawodydd nef
Yn erddi Crist, yn ffrwythlon iddo ef,
A'n heniaith fwyn â gorfoleddus hoen
Yn seinio fry haeddiannau'r addfwyn Oen.

Lewis Valentine

99 WELE'N SEFYLL RHWNG Y MYRTWYDD

(Tôn: Blaen-Cefn)

1 Wele'n sefyll rhwng y myrtwydd
Wrthrych teilwng o'm holl fryd,
Er mai o ran yr wy'n adnabod
Ei fod uwchlaw gwrthrychau'r byd:
Henffych fore,
Y caf ei weled fel y mae.

2 Rhosyn Saron yw ei enw,
Gwyn a gwridog, teg o bryd;
Ar ddeng mil y mae'n rhagori
O wrthrychau penna'r byd:
Ffrind pechadur,
Dyma'r Llywydd ar y môr!

3 Beth sydd imi mwy a wnelwyf
Ag eilunod gwael y llawr?
Tystio'r wyf nad yw eu cwmni
I'w gystadlu â'm Iesu mawr:
O! am aros
Yn ei gariad ddyddiau f'oes.

100 TYDI A RODDAIST

1 Tydi a roddaist liw i'r wawr,
A hud i'r machlud mwyn;
Tydi, a luniaist gerdd a sawr,
A gwanwyn yn y llwyn:
O! cadw ni rhag colli'r hud
Sydd heddiw'n crwydro drwy'r holl fyd.

2 Tydi, a luniaist gân i'r nant,
A'i si i'r goedwig werdd;
Tydi, a roist i'r awel dant,
Ac i'r ehedydd gerdd:
O! cadw ni rhag dyfod dydd
Na yrr ein calon gân yn rhydd.

3 Tydi, a glywaist lithriad traed
Ar ffordd Calfaria gynt;
Tydi, a welaist ddafnau gwaed
Y Gŵr ar ddieithr hynt:
O! cadw ni rhag dyfod oes
Heb goron ddrain, na chur, na chroes.

101 CYMRU UWCH YR HOLLFYD

1 Cymru, Cymru uwch yr hollfyd
Galw arnom mae yn awr
Cymru, Cymru, gwlad ein mebyd,
Codwn fry ei henw mawr,
Yn y meysydd a'r coedwigoedd,
Ar y bryniau ban a'r môr
Y cywirwn gamau'r oesoedd
O dan gadarn nawdd yr Ior.

Cytgan:
Cymru, Cymru, uwch yr hollfyd
O dan gadarn nawdd yr Ior!

2 Awn i'r frwydr i waredu
Pethau gorau Cymru fad,
Hawl i feddwl a gweithredu,
Rhain fydd seiliau deddfau'n gwlad;
Ffurfiwn yma un Weriniaeth
Un wladwriaeth gyfiawn gref;
Un egwyddor ac un gyfraith
O dan wenau haul y Nef.

Cytgan:
Cymru, Cymru uwch yr hollfyd
O dan wenau haul y Nef!

3 Adeiladwn ein Gweriniaeth
Ar y meini sicr hyn.
Amddiffynnwn ei thiriogaeth
Ym mhob cwm ac ar bob bryn,
O Lanelli i Drelawnyd
O Gaerwent hyd at Lechryd.
Cymru, Cymru, uwch yr hollfyd
Uwchlaw popeth yn y byd.

Cytgan:
Cymru, Cymru uwch yr hollfyd
Uwchlaw popeth yn y byd!

I.O.Ellis

102 HEN WLAD FY NHADAU

1 Mae hen wlad fy nhadau yn annwyl i mi,
Gwlad beirdd a chantorion, enwogion o fri;
Ei gwrol ryfelwyr gwladgarwyr tra mad,
Dros ryddid collasant eu gwaed.

Cytgan:
Gwlad! Gwlad! Pleidiol wyf i'm gwlad,
Tra môr yn fur
I'r bur hoff bau,
O bydded i'r heniaith barhau.

2 Hen Gymru fynyddig, paradwys y bardd,
Pob dyffryn, pob clogwyn, i'm golwg sydd hardd;
Trwy deimlad gwladgarol mor swynol yw si
Ei nentydd, afonydd i mi.

3 Os treisiodd y gelyn fy ngwlad dan ei droed,
Mae heniaith y Cymry mor fyw ag erioed;
Ni luddiwyd yr awen gan erchyll law brad,
Na thelyn berseiniol fy ngwlad.

MYNEGAI

Rhifau = y caneuon, nid y tudalennau

Anthem Genedlaethol Undeb y Tancwyr, 1
Arglwydd, Dyma Fi, 88
Arglwydd Iesu, Arwain F'enaid, 87
Ar Hyd y Nos, 33
Ar Lan y Môr, 4
Bendigedig Fyddo'r Iesu, 86
Bing Bong Be, 3
Ble Mae Daniel? 49
Bonheddwr Mawr o'r Bala, 74
Brethyn Cartref, 61
Bryniau Bro Afallon, 75
Bugeilio'r Gwenith Gwyn, 76
Caiff Cymru ei Rhyddid Cyn Hir, 24
Calon Lân, 91
Cân Sobri, 5
Cân y Medd, 60
Caru, 69
Cerddwn Ymlaen, 84
Coc y Gath, 81
Cofio Dy Wyneb, 77
Croen y Ddafad Felen, 35
Cymru Uwch yr Hollfyd, 101
Daw Fe Ddaw yr Awr, 25
Daw Hyfryd Fis Mehefin, 48
Dechrau Canu, Dechrau Canmol, 96
Defaid William Morgan, 65
Dros Gymru'n Gwlad, 98
Dwi Isio Bod yn Sais, 59
Ei Di Byth i'r Ne, 12
Emyn i'r Cwrw, 2
Ffarwel i Blwy Llangywer, 41
Fflat Huw Puw, 46
Glân Geriwbiaid a Seraffiaid, 8[illegible]
Gwenno Penygelli, 36
Gwnewch Bopeth yn Gymraeg, 70
Hei Ho, 18
Hen Feic Peni-ffardding fy Nhaid, 57
Hen Ferchetan, 30
Hen Frân Fawr Ddu, 47
Hen Ffon Fy Nain, 11
Hen Wlad Fy Nhadau, 102
Het Dri Chornel, 50
Hiraeth, 37
Hi yw Fy Ffrind, 78

Hob y Deri Dando, 45
Hogia Ni, 80
Hwb i'r Galon, 56
I Bob Un Sy'n Ffyddlon, 92
Iechyd Da, Foneddigion, 23
Ie, Ie, 'Na Fe, 29
I Galfaria Trof Fy Wyneb, 97
I'r Gad, 66
Lawr ar Lan y Môr, 20
Lisa Lân, 38
Llef, 93
Llongau Caernarfon, 67
Mab Annwyl Dy Fam, 43
Mae 'Nghariad i'n Fenws, 52
Mae'n Wlad i Mi, 16
Mae Rhywun Wedi Dwyn Fy Nhrwyn, 21
Magi Thatshyr, 53
Mari Fach Fy Nghariad, 51
Marwnad yr Ehedydd, 73
Medden Nhw, 22
Mentra Gwen, 39
Migldi Magldi, 26
Milgi Milgi, 17
Moliannwn, 13
Myfanwy, 62
Nos Galan, 68
Nwy yn y Nen, 27
O Llefara, Addfwyn Iesu, 95
Pam Fod Eira'n Wyn, 58
Pan Ddaw'r Hen Gymru'n Rhydd, 55
Pantyfedwen, 94
Peintio'r Byd yn Wyrdd, 28
Pymtheg Peint ar Hugain, 31
Rownd yr Horn, 10
Rwy'n Gweld o Bell, 89
Rhyfelgyrch Capten Morgan, 54
Rhyfelgyrch Gwŷr Harlech, 19
Sosban Fach, 71
Ti a Dy Ddoniau, 82
Tôn y Melinydd, 34
Tra Bo Dau, 44
Twll Tin Pob Sais, Iechyd Da, 7
Tydi a Roddaist, 100
Wele Cawsom y Meseia, 90
Wele'n Sefyll Rhwng y Myrtwydd, 99
Wrth Fynd Efo Deio i Dywyn, 14
Y Deryn Pur, 42
Y Dref Wen, 63
Y Gelynen, 32
Y Gwcw, 72
Y Mochyn Du, 40
Y Pyb ar y Bryn, 9
Y Wên Na Phyla Amser, 64
Yma o Hyd, 83
Yn Harbwr Corc, 79
Yr Asyn a Fu Farw, 8
Yr Eneth Gadd ei Gwrthod, 6
Yr Hen Amser Gynt, 15